新潮文庫

アッコちゃんの時代

林　真理子　著

アッコちゃんの時代

1

今夜は久しぶりに六本木に出た。女友だちと待ち合わせ、しゃぶしゃぶを食べた後、カラオケに寄った。気がついたら午前二時だ。こんなに遊んだのは何週間ぶりだろうか。仕方ない。中学生の息子を持つ母親が、しょっちゅう夜遊びをしているわけにはいかないのだ。

五十嵐厚子《いがらしあつこ》が自宅に帰りついた時、家のあかりはすべて消えていた。

「シュンタの奴《やつ》ったら、もう……」

舌うちする。中学一年生になる俊太《しゅんた》はあさってから期末試験だ。徹夜で勉強する、少なくとも、ママが帰ってくるまでは頑張る、と言ったのはいったい誰だろうか。

「根性なしなんだからさ。だから赤点とってくるのよっ」

酔っているから、つぶやきが大きな声になる。厚子は乱暴にダイニングキッチンのドアを開け、どさりとバッグを椅子《いす》の上に置いた。

世田谷の下馬《しもうま》にあるこの家は、十五年前に父が退職金で建てたものだ。父といっても、母が再婚した相手であるが、二十五年も一緒に暮らしていれば、本当の親子のような情がわいてくる。四年前、夫と別居した厚子が、息子と一緒にころがり込む場所といえば、やはりここしかなかった。

大企業の部長をしていたといっても、勤め人の退職金などタカがしれている。精いっぱい気張って建てても、3LDKのごくふつうの家だ。二階のふた部屋は厚子と俊太が使い、階下のひと部屋は両親の寝室となっている。だからもう少し気を遣わなくてはいけないのだが、厚子は冷蔵庫から麦茶を取り出すと、荒い音をたてて閉めた。コップを取り出すのがめんどうだったので、流しにあった紅茶茶碗《ぢゃわん》を水で軽く洗い、それについで飲んだ。

六月だというのに、真夏のような暑さだ。キッチンはさっきまで煮炊《た》きをしていたのではないかと思われるような熱気がこもっていた。厚子は白いジャケットを脱いだ。下はノースリーブのワンピースで衿《えり》ぐりが大きい。胸は大きく隆起しているが、腕はほっそりしていないと着こなせない形と色だ。

厚子はもうじき四十歳になるが、年齢をあてる人はまずいないだろう。ハーフに間違えられることがあるほど、華やかな顔立ちだ。それほど彫りが深い、というわけでもないのに、虹彩《こうさい》の薄い大きな目と口が、日本人にはない熱い血を思わせた。昔から好きな、大きなカールをつけた髪は、茶色にカラーリングしている。今日もカラオケの店で、隣りの男がしつこく迫ってきた。まだ若いサラリーマンが、どうしても携帯の番号を教えてくれと図々《ずうずう》しいことを口にする。

「やめてよー。四十の子持ちのおばさんなんだから」

半分笑いながらつっぱねたら、完全にジョークと思われた。また、またーっと大きな声で笑う。自分が正直なことを言うたびに、男たちは笑うのだ。そして厚子は、男が笑う間はまだ大丈夫かもしれないと、心のどこかで考えている。

その時厚子は、テーブルの上に自分あての封筒を見た。一通はもうじきクリアランスセールをするという、いきつけのブティックからのお知らせだった。そしてもう一通は白い封筒に、出版社の名が印刷されている。その出版社の名は知っていたが、その下にある女の名前には全く見覚えがなかった。封を開ける。今どき珍しい肉筆の文字が、びっしりと書かれていた。

「突然このようなお手紙をさし上げる、ご無礼をお許しください。

私は『週刊日本』編集部の、奥成菜々子《おくなりななこ》と申します。私どもの雑誌は、かねてより作家の秋山聡子《あきやまさとこ》さんに連載小説をお願いしているのですが、秋山先生はぜひ〝アッコちゃん〟を書いてみたいとおっしゃるのです。

私はおとどし入社したばかりのうえ、不勉強で〝アッコちゃん〟が誰なのか全くわかりませんでした。先生は呆《あき》れて、まあ、アッコちゃんを知らないの、とおっしゃいましたが、本当にわかりませんでした。先生は、こうおっしゃいました。

アッコちゃんというのは、地上げの帝王と呼ばれた、バブル時代の象徴的な男の愛人だった女性で、その後「キャンティ」の五十嵐さんの奥さんになった。このため前妻の女優と二人の子供は追い出されたような形になったため、世間はこのアッコちゃんのことをとても悪く言った。二十歳そこそこの女子大生が、名のある男たちをたぶらかすなんて、いったいどんな凄腕《すごうで》なんだろうってね。でも私は、アッコちゃんがお金だけで男たちに近づいていったとは、どうしても思えない。そういう時代が、そういうことをさせたと思うの。私にとって〝アッコちゃん〟というのはバブルの時代の女王なのよ。〝アッコちゃん〟という名を聞いただけで、バブルのあの狂乱と濃厚な時代を思い出すの。

私たち編集者は、作家がこれを書きたい、といったら、それに向けてベストを尽くすのが仕事です。五十嵐さんのこの住所も必死で探しました。五十嵐さんにとっては、思い出したくないことがいっぱいおありでしょうけれど、一度会ってお話しさせていただけないでしょうか。秋山先生も、どこへでも出向くとおっしゃっています。どうかよろしくお願いいたします」

狼狽《ろうばい》したわけでも腹が立ったわけでもない。ただめんどうくさいことになったなあ、と思っただけだ。

この手の依頼は、今までも何度かあった。週刊誌から、「あの人は今」のような企画で取材を申し込まれたこともある。しかし全く無視していた。やっとのことで手に入れた静かな生活なのだ。自分が静かな生活が本当に好きなのか、よくわからない時があるが、とにかく隣家の軒先からカメラに狙《ねら》われるような暮らしからは逃れている。

この手紙も破り捨てればよいと思うものの、そうは出来なかったのは、秋山聡子の名を見つけたからだ。本が大好きな厚子は、彼女の本を二、三冊読んだことがある。特別ファンというわけではないが、作家が直《じか》に自分のところにきて取材するというのは、ちょっと好奇心をそそる。

自分を小説にするとしたら、いったいどんな風になるのだろうか。うんと悪女に仕立て上げられるのか。それとも、男たちに玩具《おもちゃ》のようにされた女になるのか。いずれにしても、いったん書くと決めたら、あの人たちは書くのだろう。その時勝手なことをあれこれ書かれるのならば、少し協力してやってもいいような気がした。

実は何よりも女の作家というものに会ってみたい。厚子は雑誌のグラビアで見る、とがった顔をした秋山聡子の顔を思い出した。ああいう職業の女というのは、どういう風な話し方をするのだろうか。目の前の人間を、どのように観察するのだろう。ちょっとだけだったら、女の作家と会って話をしてやってもいいと思う。そして厚子は、自分の身に起こった幾つかの受難は、すべてこの好奇心のせいだったことにまだ気づいていない。

「ダメ、ダメ、そんなことしちゃダメ。絶対にダメだってば」

受話器の向こうで、田村奈美《たむらなみ》が大声をあげている。

「アッコは、やっとふつうの生活をしてるのよ。そんなさあ、週刊誌に毎週出るようなことになればさ、また追っかけられるわよ。前みたいにイヤなことがいっぱい起こるわよ」

「でも小説だからさ、記事なんかとは違うよ。小説なら、みんなつくりごとだと思うんじゃないの」

「そんなことないわよ。小説になれば、かえって好き勝手なことを書かれるのよ。私、秋山聡子って何冊か読んだことあるけど、エッセイなんか、すっごく意地悪いことを書いてるよ。あんなおばさんとかかわりをもたない方がいいよ」

女友だちは何人かいるけれども、親友と呼べるのは奈美しかいない。十四歳、中学二年生の時だ。通学の途中、別の学校の制服を着た中学生に呼びとめられた。

「私の友だちになってくれない」

この沿線に通う少女たちの中で、厚子がいちばん愛らしく、いちばん気が合いそうだからというのだ。そういう奈美も、息を呑《の》むほどの美少女だった。まっすぐな黒い髪と、睫毛《まつげ》の長い大きな目を持っていた。

なんて綺麗《きれい》な子なんだろうと、厚子はいっぺんで心を奪われた。そして奈美をそのように見つめたのは厚子だけではなかった。それから四年後、奈美はひとりの男と出会った。男は強引に奈美を自分のものにし、どうしても結婚してくれと迫ったのだ。結婚してくれなくては、奈美を殺して自殺する、とまで言った。

その狂気を若さゆえだと、奈美をはじめまわりの者たちは思ったのであるがそうではなかった。彼は若者の教祖といわれる存在の歌手となったが、数多くの奇行で奈美を苦しめた。そして揚句の果ては、自ら命を断ったのだ。この時の報道合戦のすさまじさといったらなかった。「妻による殺人か」などという記事まで載り、奈美はどれほど苦しんできただろう。厚子に今反対するのは、当時のことがあるからだ。

「本当にかかわり合っちゃダメだよ。絶対に絶対にダメ！」

「うん、わかった……」

「アッコって案外気が弱いところがあるから、私、本当に心配なのよ」

「わかったってば……」

受話器を置き、厚子はぼんやりといくつかのことを考えた。この頃自分はよく考えごとをしていると思う。あの手紙のせいだ。編集者の女からの手紙がなかったら、自分はあの男のことなど、思い出すこともなかっただろう。

ついこのあいだ、昔の仲間が教えてくれた。地上げの帝王と呼ばれた男は、ほとんど寝たきりに近い形で病院のベッドに横たわっているという。もはや財産など全くない。それでも彼のことを見捨てなかった息子が、めんどうをみているという。

「ふう……ん、じゃ、もうじき死んじゃうっていうこと」

老いて死の床にいる人間にかつて抱かれたことがあるなんて、信じられないような思いだ。自分はまだ充分に若く美しいのに、かつて愛してくれた男はもうじき死のうとしているらしい。

男の特徴ある山形弁を思い出した。

「アッコは本当にめんこいなあ。アッコ、めんこいなあ……」

アッコと昔から呼ばれてきた。厚子と名づけたのは別れた父だ。女の子だから、可《か》愛《わい》らしく呼ばれる名がいいと決めたという。

「アッコ」

「アッコちゃん」

自分を呼ぶ男の声が、入れ替わった。父が去り、そして義父が一緒に暮らすことになったのだ。

そして父たちとは全く違うニュアンスを込め、男たちが自分の名を呼び始める。

「アッコ」

「アッコちゃん」

自分はそんなに悪いことをしてきたのかしらと厚子は考える。死にかけている男のことにしてもそうだ。自分は愛人たちから、あの男を奪ったことなど一度もない。男の方で勝手に、自分に激しい執着を持ち、どんなことをしても手に入れたいと思ったのではなかったか。

夫はもっと強烈であった。相手の奥さんと子どものことは知っていた。雑誌でも見たしテレビでも見ていた。けれども仕方ない。男の方が自分のことを一目見て愛してしまったのだ。そして妻や子どもを捨てても、自分と一緒になりたいと願ったのだ。

男たちがどれほどの激しさと執拗《しつよう》さで自分のことを求めたか、厚子は一度誰かに喋《しゃべ》ってみたいと思う。それならば、あの女の作家に喋ってもいいのではなかろうか。

そして手紙を受け取ってから、初めての日曜日のことだ。午前中から俊太は友人とどこかへ出かけた。厚子はお気に入りのCDをかけながら、ペディキュアをしていた。夏が近づいてきたので、ネイルサロンに行かなくてはいけないとわかっているが、都心のサロンまで通う時間がない。だからこうして自分で、流行の色に塗っている。乾かすために脚を上げた。自分でも惚《ほ》れ惚《ぼ》れするような脚だ。ナマ足などという言葉が出てくるずっと前から、ストッキングは嫌いではいたことがない。ヨーロッパの女のように、脚はよく灼《や》けて素のままでパンプスをはいていた。適度に筋肉がつき筋っぽい。そして足首は、大きな見えない手でキュッと絞ったようだ。しばらく眺め、色を確かめた後、オーバーコートを塗り始めた。その時、

「何言ってんだ、お前、帰れ、帰れ」

という義父の大声を聞いた。玄関のところで誰かと争っている。

「突然押しかけてきて、失礼は重々承知しています。でもちょっとでいいから、厚子さんとお話しさせていただけませんか」

あの週刊誌の女だと直感的にわかった。

「お願いします。ちょっとだけ話をさせてください」

厚子が思わず立ち上がったのは、それが若い女の高い声だったからだ。手紙はもらっていたものの、週刊誌の記者だから、図太い声を想像していたが、その声は若い女特有のトーンの高いものであった。玄関に続くドアを開けた。大男の義父を見上げるようにして、若い女が立っていた。きゃしゃな体つきに、白いパンツがよく似合っている。ショートカットの顔が揺れて、厚子を見た。いたいたしいくらい大きな目だ。緊張しているのか、その目が大きく見開かれている。

「まるでアイドル歌手みたいな顔だわ」

厚子は思った。こんなキレイな顔をしている若い女が、どうして人の嫌がる週刊誌の仕事をしているんだろうか……。

ここまでやってきた若い女を追いはらうのはいかにも意地が悪い気がした。しかも女はとても若くて綺麗だ。厚子はこの頃、若い女を苛《いじ》めると、自分が中年女になったようでとても嫌な気分になる。

「ちょっとだけなら構いませんよ」

その若い女に向かって微笑《ほほえ》んでいた。

「ちょっとだけなら、聞きたいことがあれば何でも答えますよ」

若い女の唇が動いているのがわかった。

「あ、アッコちゃんだ……」

本物のアッコちゃんがここにいる。

2

何かと騒がしい夏が過ぎた。

ロサンゼルスで行なわれたオリンピックでは、柔道の山下泰裕《やすひろ》選手が、足を痛めながらも金メダルをとり、たいしたものだと世間の人々は感心している。けれども厚子は、カール・ルイスの方がずっと素敵だと思う。黒く艶々《つやつや》した肌は、すべて筋肉で出来ているようだ。その足が空中に舞って走るさまは、ジャングルでいっとう美しい獣を見ているようだ。

「カール・ルイスとだったら寝てもいいな」

遊び仲間の幸子《ゆきこ》が言った。厚子と同い齢《どし》の幸子は、都内の女子大に通っている。「JJ」の読者モデルをしたこともあり、抜群のスタイルと、愛らしい顔を持っている。幸子は一度だけ、ディスコで知り合った黒人と寝たことがあるという。

「それでどうだった」

と皆が聞いたところ、

「別に日本人と変わらないよ。ただしつこかったけど」

と答えたものだ。

短大生になってから、厚子は遊び場を渋谷から六本木に変えた。渋谷のセンター街で、青学や慶応の男の子たちとお茶をしたり、映画を見たりしていたのは、まるで遠い日のことのようだ。

六本木。渋谷からちょっと足を伸ばしたところに、こんな蠱惑《こわく》的な街があるとは信じられない。毎月のように新しいディスコがオープンしていて、どこも厚子のような若くて綺麗な女の子は大歓迎してくれる。別のグループの女の子のひとりが、

「私たちはどこへ行ってもタダだもんね」

と自慢していたのを、厚子たちは陰でさんざん笑ったものだ。タダどころではない。行けばディスコの店長は、タクシー代と称してお小遣いをくれる。

「アッコちゃん、頼むから友だち連れて毎日来てよ。自由に遊んでってよ」

あたり前だ。ディスコの価値は、美しい女がどのくらいいるかに懸かっている。三丁目のスクエアビルの裏にこのあいだオープンした店は、モデルの女の子たちにギャ

ラを払って、客のように見せて毎日来てもらっていたという。厚子は西麻布にある「レッドシューズ」があまり好きではない。ステップもちゃんと踏めない連中が紛れ込んでいる。

それよりも厚子が好きなのは、青山の「ＴＯＫＩＯ」だ。外国人が多く、その中にモデルが混じっている、東京でいまいちばんおしゃれなディスコだ。ここでは毎晩何人もの芸能人を見ることが出来る。友だちは郷ひろみを見かけたと喜んでいた。本物の方が足が長くてずっとカッコよかったという。それにしても郷ひろみは、松田聖子と結婚するんだろうか。これは日本中が案じている大問題だ。

厚子はしょっちゅうＶＩＰルームにいりびたっているが、郷ひろみは一度も見たことがない。その替わり、たくさんの男たちと知り合った。不動産屋だったり、アパレルをしている男たちだ。流行の言葉でいえば㊎《まるきん》ばかり。

今年の一月、平均株価が一万円を越えたと皆が騒いでいた。世の中の景気がよくなったので、一万円札も、五千円札も、千円札も新しくなるらしい。男たちはその前に、古い札を使いきってしまいたいようだ。厚子たちに尋ねる。

「アッコちゃん、今夜は何が食べたい」

「瀬里奈《せりな》でしゃぶしゃぶ」

「クイーン・アリスへ行きたいなあ」

「西麻布の〝さぶ〟がいい」

はっきりと答えるのは奈美だ。この頃奈美といることが多い。他の女の子と組むよりもはるかに優遇されるからだ。

「私たち最強のコンビだね」

二人で笑い合ったことがある。十四歳で知り合ってから、ずうっと仲よくしてきた。三日おきぐらいに会っているし、しょっちゅう長電話をする。女子高から附属の短大に進んだ奈美は、近々芸能界にデビューするかもしれない。あるプロダクションから熱心にスカウトされているのだ。

「でも彼が絶対に許してくれないと思う」

奈美の彼は売れない歌手だ。自分で作詞作曲をし、彼女に言わせると天才だということだけれども、今は無名の、時たまライブハウスで歌っている若い男に過ぎない。けれどもものすごいやきもち焼きで、奈美を独占することばかり考えている。彼女が短大を卒業したら、すぐに結婚しようと迫っているらしい。

「本当に子どもなのよ。欲しいものはすぐ手にしなきゃ気が済まないんだからさ」

奈美は愚痴るが、唇は幸福そうに微笑んでいる。

私の彼はどうだろうかと厚子は考える。若くて美しい女が、渋谷や六本木に毎日来ていたら、たいていの場合関係者に声をかけられる。厚子もモデルクラブから声をかけられたのだが、まだ高校生だったので学校側が許してくれるはずがなかった。厚子が通う学園は、幼稚園から大学部まであり、昔は良家の子女が通うことで知られていた。有名人もたくさん出ているのだが、なまじ都心にあって校舎が手狭だったのを、打開策としての八王子移転が裏目に出て、今は落ち目の一途をたどっている。偏差値だって悲しいほど下がっているのに、先生たちのプライドは高く、規則がとかく厳しかった。

すっかり嫌気がさし、外部の大学受験をめざしたのだが、どこも失敗した。旺文社《おうぶんしゃ》の模試では、慶応の文学部も合格圏内だったのに、本当にがっかりしてしまった。恋人の丸山真一《まるやましんいち》と同じキャンパスで学ぶというのが、厚子の目標だったのだ。

渋谷時代に知り合った真一とは、もう二年のつき合いになる。慶応日吉《ひよし》に通っていた彼は背が高く顔もなかなかのもので、渋谷では〝遊び人〟で通っていた。最初はとりあわなかったのだが、彼は毎日のように電話をくれた。

「僕は本気なんだってば。アッコは他の女の子とはまるで違うよ。こんな気持ちになったのは初めてなんだ」

真一は大学に入った年、真赤なプレリュードを買ってもらい、そのお祝いに湘南《しょうなん》をドライブした。その帰りにラブホテルに入ったのが、厚子の初体験ということになる。高校三年生。十八歳。他の女の子の話を聞いても、まあまあの平均ということになるだろう。ふつうの女の子は、大学に入ってからが平均らしいが、いずれにしても十八歳が初めてでよかったと厚子は思っている。二十歳で初体験などというのは、まるで地方出身の女の子のようだ。そういう関係になってから、真一はますますやさしくなったし、後悔することは何もない。

けれども不満なのは、すべてにおいて真一はやさし過ぎて、優柔不断ということだ。高校時代モデルクラブにスカウトされた時、厚子はちゃんと相談した。

「しばらく学校に内緒でやってみようと思うの。バレたら即退学になると思うけど、その時はその時よね」

と言えば、

「そうだね。アッコのやりたいようにやればいいよ」

という答えが返ってくるし、

「やっぱりもう卒業だし、退学なんてしたくないじゃん。今は受験の方が大切だしね」

ならば、

「そりゃそうだよ、今は受験のことだけ考えればいいんだよ」

ということになる。どうして強い言葉で反対してくれないのだろうか。奈美の恋人は、

「オレ以外の男に水着見せたりしたら、出版社に火をつけてやるからな」

と脅かしているという。奈美の恋人ほどでなくても、もっと真剣に自分のことを考えて欲しいと思う。

そして結局、モデルクラブの話は、

「そんなことは断じて許さないからね」

という義父の怒りでご破算になってしまった。

とにかく義父の進《すすむ》は厳しい。夜遊びが出来るようになったのは、学園の大学部に進学してからのことだ。それも帰宅時間は、母の鈴江《すずえ》がかなり誤魔化してくれてのことだ。

進の厳格さは、厚子が初めて会った十四歳の時から変わらない。

「君の本当のお父さんと変わりなく、びしびし叱《しか》るからね」

と言ったけれども、厚子は本当の父親から叱られた記憶が全くなかった。鈴江に言

わせると、

「自分のことだけが大切で興味があって、家族のことなんかどうでもよかったのよ」

ということになる。父は札幌で高校の美術教師をしていた。美男子でおしゃれで芸術家肌の父は、女たちに大層もてたらしい。鈴江ははっきりとは言わないけれど、教え子とトラブルを起こしたことも何度かあったようだ。けれども厚子は父が大好きだった。

札幌の冬は早い。上背のある父は、キャメルのコートがよく似合い、一緒に歩くのが自慢だった。降り始めの雪を気づかって、父は厚子の腕をとる。厚子は腕をからませ、二人は恋人同士のように歩いた。

どんなふうないきさつで、両親が離婚を決めたかわからない。そしてどうして母が義父とすぐに再婚したのかもわからない。当時口さがない人々は、以前から母と義父とはつき合っていて、それが離婚の原因だと言ったものだ。けれどもそれは違うと思う。もし多少でも後ろめたいことがあったら、義父はこれほど厚子に厳しくあたらないだろう。

義父は独身の頃、北海道を代表する企業に勤めていた。母との結婚を機に東京支社に移ってきたのだ。それがどれほど義父の出世を妨げるものになったか母から聞いたことがある。北大を出た義父は確かにエリートコースを歩んできたのに、子持ちの女と結婚したばかりに挫折《ざせつ》したのだ。

「だから厚子ちゃんはうんとパパと仲よくなってよ。そして大切にしてね」

繰り返して母は言ったものだ。

新しい父をそう大切にする気にはならなかったけれど、毎日をうんと楽しく生きなければ損だと思った。知らない間に自分の運命は大きく変わり、生活する場も札幌から東京へ移った。ふつうの子なら、とまどったり立ちすくんだりしたかもしれないが、そんなことをする時間ももったいない気がする。時間は元に戻らない。とにかく父と母は離婚したのだし、母は新しい父を選んだのだ。だったら皆でツジツマを合わせ、家庭らしきものをつくっていくしかないだろう。

どういうコネがあったのかわからないけれども、新しい父は厚子を東京の私立へ転入させてくれた。有名な学校で金もかかる。義父は新しい制服や新しい靴を買ってくれ、小遣いもたっぷりと与えてくれた。

ただ大層口やかましかった。すぐに東京の生活に順応し、まるで東京生まれででもあるかのように渋谷の街を歩きまわる厚子に、義父は何度も言ったものだ。

「君のお父さんがそうしたように、僕はきちんと厳しくするからね」

あの言葉を思い出すたびに、義父も努力していたのだとつくづく思う。五年前、十四歳でも厚子は充分に美しかった。胸もふくらみ、ウエストもくびれていた。そういう娘と一緒に生活を始めるにあたり、義父は厳父となるしかなかったのだろう。子どもでも出来ればよかったのに、五年たった今も厚子には弟も妹もいない。

大学部に入って義父は門限こそゆるくなったものの、友だちからの電話に目を光らせている。

「こんな時間に、人さまの家にかけてくるとは何ごとだ」

電話を切られたことは一度や二度ではない。

が、そこには確かに不自然なものがある。ふつうの父と娘でさえ、その関係の中には性的な影がほの見えるはずだ。義父の怒りの中には、年頃の若い女に対する感情が込められているけれども、それに気づいているのは厚子だけだろう。そして厚子は嫌《けん》悪《お》する気などまるでない。風呂《ふろ》上がりの自分に対する義父の目のそらし方、あわて方に、むしろ好意さえ持っていた。

義父はとても頑張ってきたのだ。だから義父が芸能界入りに反対するのなら、それを聞いてやろうと思う。そもそも自分には、タレントやモデルになる気などそうはなかった。

うまく言えないのだが、美しい女がその美しさを生かした職業につくのは、とても野暮ったく恥ずかしいことではないだろうか。美しい女はあくまでもふつうの女のままでいて、そして世の中から大きな特典をいくつも受ける、その方がはるかに素敵なことのように思われる。

今日も厚子は奈美と一緒に、ディスコのＶＩＰルームへ入っていく。ここは大金を払った会員しか入れないのだが、厚子たちは自由に入れる。酒や果物、カナッペなどがテーブルの上に盛られていて、気分次第ではそれを夕飯替わりにすることもある。

「ねえ、あの人、アッコの知り合いじゃないの」

奈美がつつく。

奥のソファに井上加代子《いのうえかよこ》が座っていて、こちらに手を振っている。しかしどうしてここに入れたのだろう。金か美がこの部屋に入るパスポートなのだ。金はともかく、加代子は美が水準に達していないどころの話ではない。背は低いのに七十キロはゆうに越えていただろう。九月だというのに、汗をびっしょりかいている。

「あのおデブちゃん、私たちを呼んでるよ。どうする、行く」

「行くしかないでしょ。学校の先輩だもの」

厚子は歩き始めた。その時から厚子の大きな受難が始まろうとしていた。

「こっち、こっち」

ディスコのVIPルームで、井上加代子が手を振っている。

加代子がどうしてここに座っているのか本当にわからない。ここのVIPルームは、客を厳選していて、有名人か金持ちの上客、もしくは厚子たちのように、とびきり若くて美しい女たちに限られているのだ。加代子はまるきり場違いに見える。顔立ちは悪くないのだが、野放図に太っている。ミニスカートからはみ出している太ももは、はちきれそうだ。流行のマリーンルックのスーツを着、レノマのバッグを手にしている。ふつうの既製服に、加代子のサイズがあるはずはなかった。L服にしては生地も仕立てもよい。もしかすると高価な注文服かもしれなかった。

「へえー、あのおデブちゃん、アッコの先輩なんだ」

奈美がふふっと笑った。整った美貌《びぼう》なだけに、こういう時とても意地悪くなる。どこかの田舎ならともかく、六本木のディスコで、加代子のような女がいることなど犯罪に近いと思っているのだろう。

「仲良しなの」

「別にイ。そんなわけじゃないけど」

大学部といっても、学園のそれは二年制の専門学校である。いずれはきちんとした短大、大学に発展させるつもりだったようだが、このところの不人気でどうなるのかわからない。今でも学園の幼稚園、小学部は名門ということで相変わらず志望者が多いが、定員わずか八十人の大学部は、あるかないかわからないような存在だ。小さな学校なので、ひとつ上の先輩もたいていは顔見知りだ。加代子のことは高等部の時から知っていた。両親が離婚していて、母親の方はどうやら水商売をしているらしい。ふつうそういう家の娘は、この学園には入学出来ないのだが、加代子の父親は有名な政治家ということだ。とはいうものの、その名を知っている者は誰もいなかった。田《た》中角栄《なかかくえい》という説もあったが、これは出《で》鱈目《たらめ》に決まっている。

「正妻さんの子じゃなくて、どうやらお妾《めかけ》さんの子らしい」

という者もいたが、こちらも確かかどうかわからない。

とにかく加代子が、いつも高価なバッグを身につけているのは確かだ。洋服も、といいたいところであるが、こちらはサイズのことがあるのでかなり野暮ったい。その加代子が厚子を見つけ、こちらへおいでよと手招きしているのだ。

「私、帰ろうかな。あんなおデブちゃんと一緒に遊ぶなんて気がすすまないな」

「そんなこと言わないでよ。私の先輩なんだからさ」

「じゃちょっとだけよ。挨拶《あいさつ》したらすぐに帰るからね。一緒に飲もうっていってもイヤだからね」

奈美をなだめながら、加代子の席へ近づいていった。こんばんは、と明るく声をかけた。

「井上さん、どうしてここに来たんですか」

「CXのプロデューサーの人が、この店に連れてきてくれたんだけど、どこかではぐれちゃったのよ」

ディスコのVIPルームで、はぐれるも何もないだろう。おそらくCXの連中は、うまく加代子をまいてしまったに違いない。

「CXの人たちと知り合いなんだ」

「私の知り合いじゃないけど、うちのママのお店のお客さんなのよ」

「へえー、井上さんのお母さんって、レストランとかやってるんですか」

厚子はしらばくれた。加代子の母親が水商売をやっていることは知っていたが、はっきりと口に出すべきではないだろう。

「ううん、銀座でクラブやってるのよ」

その時の加代子の誇らし気な表情を、ずっと後になっても厚子は思い出すことが出来る。ふつう自分の母親が水商売をやっている事実は、年頃の娘だったら多少は隠そうとするだろうけれども加代子は違っていた。

「銀座で結構有名よ。いろんなお客さんが来るのよ」

加代子はさまざまな人の名を挙げた。その中には、厚子の知っている者も何人もいた。

「へえー、すごいですね」

奈美が多少の皮肉を込めて言ったのであるが、加代子はまるで気づかない。

「このあいだは、カメラマンのアラーキーが来たんですって。ほら、過激な写真で今、売り出し中の人。店に入ってくるなり、ママの写真をパチパチ撮ったんだって。ママの顔って、情念があってすごくいいって言ってくれたもんだから、ママは大自慢よ」

喋《しゃべ》っているうちに興奮して、加代子の小鼻はかすかな汗を噴き出した。どう見ても中の下といったレベルであるけれども、頬の肉が落ち、目がぱっちりしたら美人の部類に入るかもしれない……。

厚子はいつのまにか、目の前にいる若い女の顔から、別の女の顔をつくり出そうとしていた。銀座のクラブママをしているのなら、相当の美人だろう。どうして娘は似なかったのか。娘がこんなにぶくぶく太って、男にまかれるような女になるまでどうして母親はほっておいたのか。水商売をしているのなら、女の美醜には敏感だろう。

それなのに、娘をここまでにしておくなんて本当におかしい……。

「そうだわ、よかったらこの後、ママと会わない」

　まるでこちらの心を見透かしたように加代子が言った。

「ママのお店がはねたら、ご飯を食べることになっていたの。よかったら一緒に行きましょうよ」

　テーブルの下で、奈美が軽く厚子の踵《かかと》を蹴《け》る。早く断わってよ、という合図だ。

「悪いけど、私たち、この後約束があるから……」

「じゃ、その人たちも呼べば。うちのママって、若い人と会うのが大好きなの。おいしいもの、いっぱいおごってくれるわよ」

「うーん、でも、悪いけど、男の子が五人だから、いくらお金持ちのお母さんでも悪いと思うわ。あ、そろそろ約束の時間だから……」

「そう、じゃーね」

　思っていたよりもあっさりと加代子は引き退《さ》がった。

「あの人のお母さんとご飯食べるのは、ちょっと、だよね」

　次の店に向かいながら奈美が言った。

「それともあの人、ママに頼まれてお店のスカウトやってるのかしらね」

「まさか」

厚子は五日前のことを思い出した。久しぶりに銀座に出て、三愛の前を歩いていた時のことだ。

「ちょっとお話しさせていただいてよろしいですか」

きちんとスーツを着た、若い男が話しかけてきた。

「もうどちらかにお勤めですか」

こういう誘いはしょっちゅうあった。いくらでも金を出すから、銀座に勤めないかというのだ。

「本当に五分でもいいから、お話しさせてください。あなたのような方なら、今の銀座はどんな条件でも呑《の》みます」

男は無理やりに名刺を厚子に押しつけた。そんなことは奈美に話すまでもない、よくある出来ごとだ。けれども、

「あなたのような方なら」

「どんな条件でも」

という言葉が甘やかに耳に残っている。もちろんホステスになる気はない。だいいち義父が許さないだろう。けれども自分に大変な価値があると、プロの男から知らさ

れるのは大層気持ちがよいことだった。

もし、自分が銀座でホステスをするとしたら、いくらぐらいの値がつくのだろうか。それをちょっと知りたいと思うのはいけないことだろうか。

「それで、どうする……」

奈美が腕時計を見た。今夜は加代子の出現で計画がすっかり狂ってしまった。いつもならあの店のＶＩＰルームで軽く食べたり、踊ったりしていると、十時過ぎた頃には必ず誰かしらやってくる。木曜日の今日ならば大村《おおむら》だ。大村は時代の申し子のように言われるアパレルメーカーの社長だ。三年前に若者向けのカジュアルの店をつくったところ大あたりした。どこがどうということもないと大人は言うのだが、独得のマークのついたポロシャツやＴシャツを、みな争うようにして買っていく。修学旅行シーズンともなれば、彼の店に行列が出来るほどだ。

彼は厚子と奈美を、夜遅い食事に連れていってくれる。青山の「キャビアハウス」や「ブラッセリーＤ」、「ダイニーズテーブル」でフレンチのように盛ってあるおしゃれな中華を食べることもあるし、飯倉《いいぐら》の「キャンティ」でイタリアンを軽めに出してもらうこともある。しかし加代子がいたため、早めに店から出てきてしまったのだ。まだ踊り足りないような気もするのだが、なぜかあかりの少ない飯倉の方に向かっている。ソ連大使館があるこのあたりは、六本木の隣りとは思えぬほどひっそりしている。「狸穴《まみあな》そば」という日本家屋のそば屋があって、厚子はここで小林麻美《こばやしあさみ》を見たことがある。今や時代のミューズといわれる彼女は、セルッティとおぼしき藤色のニットを着ていて本当に綺麗《きれい》だった。よく女性誌では「小林麻美」特集が組まれ、厚子も何度か買ったことがある。

それによると、あのユーミンと小林麻美とは親友同士なのだ。日本でいちばんいい女を争っている二人が、親友だなんて、本当に素敵だ……と言ったところ、

「まるで私たちみたいね」

奈美が笑った。

「六本木でいい女ナンバーワンを争ってる、私とアッコが親友、っていうのと同じよ」

あの時、まわりにいる男たちも楽し気に笑ったものだ。けれども今、その男たちが誰ひとりいない。彼らがいないと、今日の夜食はかなり淋《さび》しいことになってしまう。

「どうしようか。キャンティでお茶にしようか」

「キャンティ」の一階はケーキのショーケースがあり、お茶や軽食をとれるようになっている。夜中までやっているレストランは地下一階だ。一階でサンドイッチをつま

むことも出来るのだが、学生の身には高価な一品となる。今夜は我慢するしかないだろう。

二人が暗闇《くらやみ》の中にうかぶ、「キャンティ」のあかりにたどり着いた時だ。一台のロールスロイスがするすると店の前に止まった。「キャンティ」でロールスロイスは決して珍しくない。どんなスターが降りてくるのだろうと立ち停まったところ、中から若い女の声がした。

「アッコ、アッコじゃないの」

なんとさっき別れた加代子ではないか。

「キャンティに来るならば、そう言ってくれればいいのに」

彼女が車の窓をあけて叫んでいる間に、運転手が急いで降りてきてドアを開けた。どさりという音がして、太い足が地面についた。その後から白い足袋が伸び、まるで踊りの所作のように、女の単衣《ひとえ》の裾《すそ》がしゅっと動く。和服姿の女が降りてきた。

加代子の母親だろう。すぐにわかった。今どき和服を着ている女など、水商売の女ぐらいだ。

想像していたよりも、はるかに美しい女であった。色が白く、大きな目に太いアイラインを入れているからますます大きく見える。ちょっと流行遅れと思われるような太いアイラインだが、これが銀座の女の化粧なのだろう。厚子は薄闇の中、店の黄色いあかりを受けて立っている女の顔をつくづく眺めた。

「ママ、さっき話した同じ学校のアッコちゃんよ」

「まあ、いつもお世話になって」

加代子の母親は微笑《ほほえ》んだが、感謝も何もしていないことはひと目でわかった。習慣的に口角を上げただけだったのだろう。

「私たち、なんかめんどうくさくなって、約束すっぽかしちゃったのよ」

厚子は見えすいた嘘《うそ》をついたが、

「よかったわ。私たちもどこにしようかと思って、やっぱりキャンティにしたのよ」

その時厚子は、いつのまにか男が、彼女たちの傍に立っていることに気づいた。車のドアを開けた音は聞こえなかったのに、男はそこにいた。一瞬厚子は、男が通りすがりの人間ではないかと思った。華やかで美しい女たちの一団に、足を止めて眺めている男。その男に「見物」という表現はぴったりだった。白髪混じりのパンチパーマだ。そして灰色の背広から、開衿《かいきん》がのぞいている。しかも男は、不思議な訛《なま》りの言葉で喋った。

「それはよがったな。それじゃみんなで飯でも食べに行くか。加代子、お友だちをちゃんと連れてくんだな」

そして男は、加代子の母の肩を抱くようにして店に入っていった。取り残された厚子と奈美は声も出ない。

「あの人、誰」

しばらくして厚子は尋ねた。

「あ、あの人。ママのコレ」

加代子はとっさに親指を立て、その下品なしぐさに厚子は強い嫌悪《けんお》を持った。

「やっぱり水商売の娘ね……」

しかしパンチパーマの男と親指はあまりにもぴったりで、いつのまにかしのび笑いをしていた。そしてその笑いは自分でも困惑するほど長く続いた。

一階でお茶を飲むことはあっても、「キャンティ」の地下にあるレストランにはめったに来ない。

男の人、しかもこの店で常連である男が連れてきてくれる時くらいだ。あまりにもきらびやかな人がいて、友だちと一緒ではすくんでしまう。

隅のテーブルでは、作詞家の安井《やすい》かずみが夫の音楽家、高名な詩人と一緒に食事をしていた。目が大きく見える独特の化粧をし、パーティー帰りなのか、キラキラ光る黒いドレスを着ている。シャンパンをゆっくり飲んでいるのが、まるで映画の一シーンのようだ。

厚子は自分たち一行が、この美しい光景の中に突然闖入《ちんにゅう》してきた余計者のような気がした。

ウェイターが、前菜の皿をのせたワゴンを運んできて、ゆっくりと説明をするのだが、加代子の母の愛人という男は少しも聞いていない。

「あー、何でもいい、何でもいい。そのタコの酢のかかったやつを少しくれや」

とマリネを指さす。

加代子の母にしても同じだった。

「私も何でもいいの。適当に三種類、お皿に盛って頂戴《ちょうだい》」

が、水商売をしている人間らしく、ワインリストをじっくり吟味し始めた。

「うちの加代ちゃんは、もうお酒をいただけるけど、そちらのお嬢さんたちはいかがなのかしら」

習慣らしく、人にものを尋ねる時、流し目になって軽く微笑む。四十代半ばといったところだろうが、肌がとても綺麗だ。笑うと白くやわらかい肌に、えくぼともいえない微妙な窪《くぼ》みが生まれる。

「私たち、十九歳ですからお酒は飲めません」

奈美が言い、厚子はもう少しで噴き出しそうになった。二人はこの頃よくワインを飲む。ワインの味はよくわからないけれど、高いお酒を飲むのは好きなのだ。

この何年か、日本にもいいワインが入ってくるようになったらしい。ディスコのVIPルームの男の中に、ゴルフ場の経営者がいる。そのワインの凝り方と、金の遣い方は尋常ではなかった。ロマネ・コンティというワインの値段を聞いて、厚子は驚いたものだ。

「へえー、ふつうの人の一ヶ月分のお給料じゃない」

そうかといって遠慮するわけではない。がぶがぶと二杯続けて飲んだ。

「アッコは、ロマネをビールみたいに飲むんだから」

男は苦笑していたが、次はマルゴーの年代ものを飲ませてくれた。その都度いろいろ説明してくれるのであるが、厚子にはどうでもいいことだった。男も途中で諦《あきら》めたらしい。結局彼は、高いワインを若い綺麗な女と飲みたいだけなのだから、厚子たちが気を遣うこともないのだ。

「でも少しだったら、飲めねえこともねえべさ。ワイン飲め、高いの飲め」

男はウェイターを呼んで、厚子と奈美のグラスを並べさせた。

「いただきまーす」

皆で大きな声で乾杯したが、もうそれほど恥ずかしくなくなっていた。

「それで田辺《たなべ》さんたち、どこへ行っちゃったのかしら」

加代子の母が言う。田辺というのは、どうやらCXの男らしい。

「今夜は加代ちゃんを、話題の『ピテカントロプス』に連れていってくれるって張り切ってたのに」

「知らない。本当にはぐれちゃったのよ」

加代子はまだ、自分がまかれたことに気づいていないらしい。

「もしかすると、あのロス疑惑の三浦《みうら》が、記者会見でも急に開いたんじゃないの」

「そう、そう、あの人、突然何かやらかすものね」

今年の一月、ある週刊誌が「疑惑の銃弾」という連載を始めてから、日本中がそれこそ大騒ぎになった。保険金めあてに、前妻を殺したのではないかと疑われている三浦和義《かずよし》は、背が高いなかなかハンサムな男だ。流行のハンティングワールドのバッグを持ち、さっそうと歩く姿は、いかにも外国ものの商売をしているしゃれっ気に溢《あふ》れている。この男が本当に犯罪を犯したのか、一時期ワイドショーや週刊誌はロス疑惑一色で、それは今も続いている。三浦の方もしたたかで、モデル上がりの美しい妻と一緒に、味方してくれるマスコミだけに出て、ぺらぺらと喋《しゃべ》りまくる日々だ。

「田辺さんって、このあいだ三浦和義と一緒にご飯食べたらしいよ」

と加代子。

「なんでも特番やりたいからその相談らしいけど、あっちも条件がきつくて、無理かもしれないって言ってた」

「あの、私の友だちも三浦和義と仲いいんですよ」

と厚子も思い出した。

青山や六本木で遊んでいる連中だったら、たいていの場合、どこかで三浦和義と結びつく。彼の会社「フルハムロード」と商売したことがある、うちの店によく遊びにきてくれたなどと、みんな競って三浦と少しでも関係があったことを自慢するのだ。

「アパレルメーカーの社長なんですけど、三浦と、何度も遊んだことがあるって。あの人って、言ってることがコロコロ変わるけど、いい人だって言ってました。だけどフルハムロードの倉庫で火事があった時、仲間うちじゃ、みんな怪しいって言ってたみたいですね。保険金ががっぽり入ったんですって」

「でも見るからに優男《やさおとこ》で、私は悪いことするようには思えないのよね。ああいう人は、保険金詐欺《さぎ》はしても人を殺すようなことは出来ないわ」

ひとしきり三浦和義の話になった。週刊誌の連載が終わっても、他のマスコミが毎週何かしら新しいネタを提供してくれるので、話題に困ることはない。

「ま、悪銭身につかずって言うからな。悪いことをして金を儲《もう》けたって長続きはしない。銭はきちんと働いてる者のところしか来ねえからな」

厚子はさっきから、この男の言うことがおかしくてたまらない。とぼけているのかどうかわからぬが、女たちの会話が一段落するとぽつんとつぶやくように喋り出すのだ。

「あのー、お仕事は何をしてるんですか」

思わず尋ねた。

「土地だなー」

「不動産屋さんですか」

「もっとスケールの大きい仕事をしてるのよ」

傍から加代子の母が口を出した。またねっとりとした流し目で自分の愛人を見る。

「東京の街を根っこから変えるような仕事」

男はそれには答えず、懐《ふところ》から名刺入れを取り出した。手擦れしたごく普通の黒革のものだ。厚子と奈美に名刺をくれた。「早川興産社長　早川佐吉」とある。名前の古めかしさと、男の東北弁とが見事なほど一致していた。

「土地のお仕事って、すっごく儲かるんですよね」

もう不動産屋と言わないようにしようと思った。厚子の知っている男たちも「不動産屋」と呼ばれることをとても嫌うのだ。しゃれたオフィスを構えるやいなや、すぐに「アーバン・プロデューサー」とか、「ランド&スペース・クリエイター」などといった名前をつける。

「これからだなあ」

男は自分に言い聞かせるように深く頷《うなず》いた。

「まだ、まだ、これからだなァ……」

「パパァ、頑張ってくださいよッ」

加代子の母が、ぽんと早川の肩を叩《たた》いた。その様子は馴《な》れ合った男と女のじゃれ合いのようにも、芝居がかった何かの牽制《けんせい》のようにも見えた。

「そう、そう、私の名刺も差し上げなきゃね」

クロコダイルのハンドバッグを開ける。名刺入れを出したついでに、煙草《たばこ》を一本取り出し、指にはさんだままパチンと留め金を閉めた。小ぶりの名刺には、銀座七丁目の住所と、「ファンタジア」という名、そして井上邦子《いのうえくにこ》という名が示されていた。こちらの方は案外平凡であった。

「でも、本当に綺麗《きれい》なお嬢さんたちね」

煙草を吸いながら、邦子は目を細める。娘の友人を、まるで女衒《ぜげん》のように値踏みすることに厚子は少し嫌な気分になる。奈美の言うとおり、本当にスカウトされるのではないだろうか。

が、早川がまるで邦子の心を見透かしたように言った。

「こんな子がお前んとこへ入ったらいいな。お前んとこもだんだん年増《としま》ばっかになってきたじゃねえか。こういう若い綺麗な子が入ってきたら、店も流行《はや》るようになるんじゃねえのか」

「嫌ね、うちの子はみんな若いわよ。それに加代子の学校のお友だちなら、みんないいところのお嬢さまばかりなんだから、夜のお勤めに出るわけないでしょう」

とりようによっては、自分を卑下しているように聞こえるが、結局は娘を持ち上げているのだ。落ちめの学校といっても、娘が有名な私立で学んでいることが自慢らしい。

やがてパスタが運ばれてきた。さぞかし音をたてて吸い込むのではないかと思ったが、早川はフォークに巻きつけて器用に食べる。が、時々ソースがズボンに落ちた。すると、すかさず邦子の手が伸びてナプキンで拭《ぬぐ》ってやる。自分の両親からは考えられないまめまめしさだ。愛人というのは大変だなあと、厚子はぼんやりと見つめている。

夜遅いということで誰もがデザートを食べず立ち上がった。勘定は早川が払った。店を出ると、するするとロールスロイスが近づいてきた。

「よかったら、みんなこれを使って頂戴よ」

邦子が厚子に向かって言った。

「私たち、もうちょっと飲んでいくから、それまでに戻ってきてくれればいいわ」

「でもうち、世田谷で遠いかもしれません」

「いいの、青山で加代ちゃんを降ろして頂戴」

「私は桜新町ですよ」

奈美が言っても邦子は全く気にしない。どうやら夜明け近くまで飲むつもりらしい。

「それにもうこの時間、六本木でタクシーがつかまるわけないじゃないの」

確かにそのとおりだ。毎夜十一時過ぎると盛り場では「タクシー難民」といわれる人たちが街に溢れ出す。彼らはなんとかしてタクシーをつかまえようと、道の真中まで出てくる。おーい、おーいと必死で手を振るのだが、タクシーにはたいてい客が乗っている。わずかな空車を争って、みんな道に躍り出る。

「バカヤロー」

というタクシーの怒声とクラクションで、毎夜街はそれこそ災害があったかのようだ。厚子の場合、男たちは送ってくれるか、あるいはタクシーを呼んでくれる。この頃タクシー会社は強気に出て、電話をかけても、

「現在混み合っております。またおかけ直しください」

というテープがまわるだけだ。いやそれはまだ良心的な方で、たいていはお話し中である。それでも何とか割り込もうと、人々は公衆電話を握り締めて離さない。それはそれで、

「いいかげんにしろよー」

後ろで待っている者から怒声がとんだ。

しかしタクシー会社は、決して表には出さない秘密の番号を、ごく一部の顧客には教えてくれる。多少の力のある男たちは、人々が喧嘩《けんか》ごしで奪い合うタクシーを、らくらくと呼ぶことが出来るのだ。

「そうだ、お前ら、これに乗ってけ」

ほとんど飲んでいないのに、酔いのために、早川の訛《なま》りはますます強くなる。

「若い女が、タクシーなくて、困って一晩うろうろしてたら、怖いめに遭うべさ。オレらはいざとなったらハイヤー呼ぶから、構わねえ、早く乗れ」

押し込まれるようにしてロールスロイスに乗った。ベンツには何度も乗ったことがあるけれども、これは初めてだ。信じられないほど中が広い。革のシートの手触りも、他の車とはまるで違っていた。早川がいつも乗っているだろう、助手席の後ろの席のラックには、日経新聞と青年コミック誌とがつっ込まれていた。それとタオルのおしぼりが二本用意されているのもあの男らしい。

「面白いおじさんですね」

「そうなのよ」

あくび混じりに加代子が答えた。

「私も最初会った時はギョッとしちゃったわ。ズーズー弁でパンチパーマなんて、今どきテレビのギャグにも出てこないもんね。だけどさ、一緒に暮らしてみると、すごくいい人だし、結構こっちにも気を遣ってくれるしさ」

「え、一緒に暮らしてるの。あのおじさんと。イヤーだー」

奈美が叫んだ。三人の若い女は、この車と運転手が早川のものだということをすっかり忘れていた。

「だって、ママがあの人と暮らしてるんだもの仕方ないじゃない」

「あの人、独身なんですか」

「そうなのよ。奥さん、病気で亡《な》くなったんですって」

「ふうーん、じゃ、結婚するんだ」

「わからない。あの人、すっごいお金持ちだから、財産めあてに思われるの嫌だから、籍は入れない、ってママは言ってるけど」

「ふうーん」

厚子と奈美は押し黙った。だってあなたのママの目的、お金以外の何ものでもないじゃない……という感想が浮かんでいるのであるが、さすがにそれは口に出来なかった。

やがて三人を乗せたロールスロイスは、六本木の繁華街へ入っていく。運転手は鳥居坂を左折しようとしているのだが、そこへたどりつくのが困難なのだ。道路はぎっしりとタクシーで埋まり、そこへ人が群らがる。「空車」のサインが消えていても、人々は未練たらしく歩道に戻ろうとはしない。中には厚子ほどの若い女が何人もいる。

「かわいそうー」

と厚子はつぶやき、同時に自分の体を受けとめている、ロールスロイスの革の感触を思った。その時、自分は選ばれた人間だということに気づいた。誰に選ばれているのかはわからない。ただ自分は、空のタクシーをめがけて走る側の女ではないことは確かだ。こうしてロールスロイスに乗って走り抜ける女なのだ。これから先もずっとこうなのだろうと厚子はぼんやりと思った。

3

最近新しい店が次々とオープンするので、忙しい夜が続いている。

厚子たちばかりでなく、マスコミでも大きな話題になったのは、何といっても「マハラジャ」だ。六本木ではなく、鳥居坂を下りてしばらくいく麻布十番に、最新のディスコがオープンしたのだ。この店が他と違っていたのは、客を並ばせて、ミリタリールックの黒服が客を選ぶことであろう。店に入るのにふさわしい客だけをピックアップするのである。もしかすると永遠に声がかからないかもしれない。そういうことを承知で、人々は通りに長い行列をつくる。冷たい北風の中、それでもじっと並んでいる若者たちを、厚子の仲間は冷ややかに見る。

「バッカみたい。あんなことしてまで、中に入りたいものかしら」

「だいいちね、人を選ぶ、なんていうのからしてダサいわよ。あんなもの、田舎もんは自然に店からはじき出されるもんなんだからね」

もちろん厚子たちは「マハラジャ」でもフリーパスだ。黒服の中には、他の店から引き抜かれた者がいるので、既に顔馴染《なじ》みだった。当然のようにVIPルームにも入れてくれる。「マハラジャ」のVIPの客層は、やはり粒揃《ぞろ》いで金があるだけの男ばかりではない。芸能人や、マスコミによく顔を出すクリエイターたちがシャンパンを傾けている。遊び仲間のひとりは、今をときめく空間プロデューサー、山本《やまもと》コテツと仲よくなったそうだ。行動する学者クリシンこと栗本慎一郎《くりもとしんいちろう》も、編集者らしき男たちと来ていたという。もちろん田中康夫《やすお》も、美しい女とよく訪れている。

「でもさ、『マハラジャ』の客って、いまひとつだよね。そりゃそうよね、選ばれようって、並んでる中から選んでるんだもんね。それだけで野暮ったいよね」

ユキがメンソールをふかしながら言う。ユキは厚子よりふたつ上で、モデル兼コンパニオンをしている。彼女が「本業」と言い張るモデルの方は、それほど仕事がないようだが、コンパニオンと名乗るのは、いかにも遊んでいそうで嫌なのだろう。

ユキは急に贅沢《ぜいたく》なものを身につけるようになった。今までは「ピンキー&ダイアン」「ジュンコ　シマダ」といったものを着ていたのに、このところはアライアだ。ここの服は信じられないほど美しいラインをつくり出す。もともとスタイルがいいユキなのだが、アライアを着ると、ミニのヒップがぐっと上がり、ウエストのくびれが強調される。ユーミンも大好きというこのブランドは、大層高価なことでも知られているが、ユキは会うたびに違うものを着ているし、胸元にはティファニーのハート型ペンダントだ。

ユキだけでなく、厚子のまわりの女の子たちは、ますます綺麗になり、ますます贅沢になっていくようだ。昨年のクリスマスでもそのことがよくわかる。一流のホテルでは、スイートルームから埋まっていくのだと、新聞や雑誌が書きたてていたが、これは本当らしい。厚子の友人によると、彼と泊まって、朝チェックアウトしようとしたら、フロントに長い列が出来ていたという。

「それが半端《はんぱ》な長さじゃないの。ロビーに、こう、若い男の子がずーっと並んでるの。それと同じ数の女の子が、その横に立っているんだから、ちょっと異様な光景だったわ。そしてね、その女の子たちがみーんな、ルイ・ヴィトン持ってるのには笑っちゃったけど」

そして彼女はこうつけ加えるのを忘れない。

「私の彼は、ホテルのクラブ会員だから、別のところでチェックアウトしてもらったけど、もうイヴになんか泊まるもんじゃないって、プリプリしていたわ」

ともかくイヴの夜は、イタリアンかフレンチで食事をし、男からプレゼントを貰《もら》い、シティホテルで夜を共に過ごす、というのが若者たちの「年中行事」になりつつあるようだ。いつも行くレストランが、クリスマスディナーと銘打って、あてがいぶちのコースを出す。しかも時間を決めて、二回転というひどさだ。店長たちは、

「アッコちゃんたちは、イヴなんかに絶対にうちに来ないでね、お願いだよ」

と言っているというのに、これまた予約を取れないほどの人気だという。壁の側に、女たちがずらりと並び、向かい側に男たちが並ぶ構図となり、向かい合ってディナーをとるというのだ。そして終わる頃に、男たちがいっせいにプレゼントの箱を取り出すというのだから、厚子でなくても、

「わー、嫌だ、嫌だ」

と叫んでしまう。

自分のクリスマスはどうだったかというと、イヴの日は新しい恋人の安藤高志《あんどうたかし》とドライブに出かけた。レストランはどこも満員だし、何も混んでいる日に行くことはないと、東京港の夜景を見に行くことにしたのだ。

帰り際《ぎわ》、わざと客のいないレストランに入って夕食をとった。レストランというよりも海辺の食堂で、明菜《あきな》の、「飾りじゃないのよ涙は」がかかっているような店だ。カキフライとメンチカツ、サラダを頼み、運転をしない厚子だけがビールを飲んだ。喉《のど》が渇いていたのでひと息に呑む。

「アッコはまるで男みたいだな」

高志が笑った。

「見ためはそうじゃないのに、アッコは男みたいに豪快だよ。何ていおうか、気っぷがいいっていうか、太っ腹っていおうかさァ」

真一と出かけたパーティーで知り合い、つき合い始めて間もない彼は、こんな言い方をする。

「女で、太っ腹って言われて喜ぶ子がいるのかしらね」

厚子は唇をとがらせた。が、本気で怒っているわけではない。確かに何人かの男たちにそう言われたような気がする。

「ま、いいわ。なんか私のまわりの友だち見てると、女っていうだけでものすごく得することがわかっちゃって、それをアピールして高く売りつけよう、っていうコばっかりなんだからさ」

慶応四年の高志は、来年就職が決まっているのであるが、その時の企業の対応が普通でなかったと話す。

「企業訪問に行ったら、帰りに交通費だって言って封筒を渡されるんだ、中を見たら二万円入っててた」

「へえー」

「それどころじゃない。僕の友だちなんか、ＯＢ訪問に行ったら、しゃぶしゃぶ食べ放題。帰りは銀座のクラブに連れてってくれたっていうんだ。これは嘘《うそ》か本当かわからないけど、トルコ風呂《ぶろ》、いや、もうソープランドって言うんだったな。そのソープで接待された奴《やつ》もいるんだぜ」

「そんなの嘘でしょう。会社が学生をソープに連れてくなんて」

「僕もそう思うけど、なんか企業側が普通じゃないよな。いくらいい学生が欲しいからって、こんな金の遣い方をするなんてさ」

あ、それからさ、と高志はつけ加えた。

「君がこのあいだ会ったっていう、早川っていう男。この頃よく週刊誌に出てるぜ」

「本当。まるっきり気づかなかった」

「アッコは読まない、おじさん向けの雑誌ばっかりだからな。あの早川って、要するに地上げ屋の大親分だよな」

「この頃よく、地上げ、地上げっていうけどいったい何なの」

「それはだね」

高志は経済学部の学生らしく時々専門用語を入れて話し始めたが、厚子にわからないだろうと、途中から急にトーンを変えた。

「今、土地の値段がどんどん上がってるだろ。土地を買って、すぐ売りさえすれば、すごい大金が入る世の中だ。この都内には、まだ土地がいっぱいある。一等地でも小さい家が立っていたり、コマギレに所有者が違ってたりするだろ。それを整理して、どーんと広い平らな土地にする。するとものすごい価値が出てくるんだ。何倍にも売れる。ほら、この頃よくニュースになるよね。古いアパートの住民を追い出そうと、暴力団を使うんだよ。シェパードを何頭もけしかけて吠《ほ》えさせたり、入り口にトイレの中身ぶちまけて、徹底的に嫌がらせをする。そして住民が出ていくのを待って、アパートを壊し、平らな土地にするんだ。古い家が建っってても同じさ。最初は代替地を用意します、大金で買います、って下手に出るんだけど、相手が断わると、今度は暴力団のお出ましだ」

「早川さんもそういうことをしてるわけね」

「アッコさあ、本当に悪い人間っていうのは、絶対に表に出てこない。そういう仕組みになってるのさ。早川は既に銀行と手を組んでるから、資金はいくらでもある。すると子会社やら、孫会社をいっぱいつくって、汚ない仕事はみんなそいつらにやらせる。自分は絶対に手を汚さないんだ」

いいかい、ああいう連中と絶対につき合っちゃ駄目だよ。アッコが遊び人のおじさんたちにチヤホヤされるのは我慢するけど、早川みたいな人間とつき合ったら、とんでもないことになるんだからねと高志は念を押したものだ。

あのイヴの夜、高志に言われたことはよく憶《おぼ》えている。それなのに、厚子はこうして早川と旅行に行こうとしている。もし高志に知られたら大変なことになるだろう。

「だけど仕方ないじゃん。先輩のお父さんみたいな人なんだから」

厚子はひとりごちた。

春になったら、伊豆《いず》の別荘に連れていってやりたいと早川が言い出し、皆で行くことになったのだ。早川の別荘の隣りは、これまた早川が所持している十八ホールのゴルフ場だ。

「加代子はオレが教えてやったんだ。アッコもそろそろゴルフを始めた方がいいぞ。

この頃の女は、ゴルフが出来なくっちゃ男と対等に話が出来ねっからな」

井上加代子、邦子親子と一緒に、時々会うようになってから、早川は自分のことをアッコと呼ぶようになった。

「アッコは、今にオレんちの嫁になってもらうがらな」

こういう時だけは東北訛《なま》りが強くなる。厚子が長男の嫁になってくれたら、どれほどいいだろうというのだ。早川の長男は、あまり聞いたことのない銀行に勤めているのだが、一度も会ったことがない。

「いい男だよ。オレじゃなくて、カアちゃんの方に似てるからな、いい男だよ」

早川の妻はおととし亡《な》くなったのだ。厚子は頭の中ですばやく計算をする。邦子と一緒に住み始めて一年というから、早川は妻を亡くしてからすぐに邦子とつき合い始めたことになる。二人のなれそめは知らないし、知りたくもないけれども、加代子からちらっと聞いたところによると、邦子が詐欺《さぎ》に遭った時、金を取り戻してくれたのが早川だったというのだ。

「それからすごいモーションをかけたらしいわ。パパって、女の人にかけてはすごく強引みたい」

おそらく邦子に言いふくめられたのだろう、加代子は早川のことをパパと呼ぶ。しかしもちろんのこと、二人が発音する「パパ」は全く違っていた。

加代子の義務的な、いかにも義理の父を呼んでいるような「パパ」に比べ、邦子の「パパ」は、語尾が少し間伸びする。肉体関係のある男と女の間で交される「パパ」だ。厚子はこうした三人を眺めているのが面白い。他人が入った三人が一生懸命家族をつくり出そうとする様子は、自分の家とよく似ている。そして奇妙なことに、この「建設中」の家族は、なぜか厚子を要求するようになったのだ。この頃よく呼び出しがかかり、厚子が指定の場所へ行く。ゆっくりと近づきながら、厚子は三人を観察している。どう見てもちぐはぐな三人だ。高価な着物をまとい水商売の女独特の髪の結い方をした邦子がひとり喋《しゃべ》っている。その傍に、肥満した寡黙《かもく》な娘がいる。そしてもうひとりは、野暮ったいスーツ姿の男だ。パンチパーマはこの頃やめたけれども、そのなごりがこめかみのあたりに残っている。彼はそう楽しくもなさそうに女の話を聞いている。やがて厚子が近づく。すると三人の顔がパッと明るくなるのだ。

「ああ、アッコちゃん、よく来てくれたわね」

邦子は手を握らんばかりだ。

今度の旅行にしても、早川もさることながら、邦子がどうしても来て欲しいと言ったのだ。

大金持ちは列車など使わないものらしい。まず車で新木場に行き、それから自家用ヘリコプターに乗り込む。操縦するのは専属の操縦士だ。早川が何か言うたびに、「はい社長」と律儀《りちぎ》に返事をした。

伊豆までは一時間もかからない。どこかの駐車場のようなところに降りると、そこには黒のベンツが待機していた。大室山を通り、高原のさらに上の方に早川の別荘があった。よくあることであるが、表札に「早川興産保養所」とあった。

邦子と加代子は何度か来たらしく、別荘番の夫婦に挨拶《あいさつ》をする。それにしてもやたら広い建物であった。ホテルのように、個室はすべてバスルーム付きだ。中庭に噴水があり、それを眺める位置に露天風呂がしつらえてあった。竹垣でうまく覆《おお》われて、ガラス張りの居間からは見えないようになっている。

「アッコ、うちの風呂はすごいぞ。温泉をひいてるからな。早く入れ。加代子とアッコが最初に入れ」

早川は皆の前で厚子の肩を抱く。その温かさは、欲望があるようにも、全くないようにも思える。厚子は義父のことを思い出した。意識するあまり、義父は自分にこんな風に触れたことはなかった。

夕食が始まった。伊東の海で獲《と》れた伊勢海老《いせえび》の活《い》けづくりがテーブルの真中に置かれ、名前がわからないたくさんの魚が、焼かれたり、刺身となって出てくる。若い娘たちのためには、ステーキとサラダが用意されていた。

「シャンパン、冷えておりますので……」

スーツ姿の若い男が近づいてきた。料理は調理師免許を持った別荘番の妻がつくる。けれども早川はこの小旅行のために、三人の社員を同行させていた。彼らは文字どおり社長に侍《はべ》っている。その気の遣いようは痛々しいほどであった。

「おい、村田《むらた》、村田」

早川はヴーヴ・クリコをナプキンでくるもうとしている、若い男に声をかけた。

「お前、大学はどこだった」

「明治です」

「そうか、そうか」

早川は満足そうに頷《うなず》いた。

「他の二人はどこを出てんだっけな」

「太田《おおた》が日大で、岡倉《おかくら》は確か立教だったと思います」

「確か、昨年は早稲田《わせだ》出てる奴も入ったんだっけな」

「はい、若林《わかばやし》ですね。彼は中退ですけど早稲田です」

ほら、みろ、というように早川は女たちの方を見た。

「うちもこの頃は、大学出がいっぱい来てくれるようになった。ついこのあいだまでは高校もろくに出てないような連中が、喰いっぱぐれて面接に来たもんだけどなあ」

「そりゃあ、あんなにいっぱいテレビCM流してるんですもの。若い人たちは応募してくるわよォ」

邦子は伊勢海老のひと切れを、早川の皿に盛り分けている。

「あんな大スターを使ってるCMなんてめったにないわ。そのうちに東大出の新卒も応募してくるんじゃないの」

厚子もそのCMを何度も見たことがある。昔の日活の俳優が、ギターを持って波止場に立っている。彼がギターをぽろろんと鳴らし低く歌う。

「明日をつくる　早川興産」

何のへんてつもないCMだが、やたら記憶に残る。いま「山一證券」のCMが、しつこいほど流れていて、

「はじめまして、山一證券でえ～す」

というメロディがすっかり頭に残ってしまった。が、早川興産の、

「明日をつくる……」

も、厚子の耳朶《じだ》から離れない。たぶん目の前の男が社長をしているせいだろう。

早川がどんな仕事をしているのか、まだよくわからない。が、日本全国に多くの土地やマンションを持っているだけでなく、ゴルフ場やテーマパーク、ホテル、病院も経営している大金持ちだということは知っていた。そしてこの頃よく口にするのは、西新宿の土地のことだ。もうじき都庁が建設されるあのあたりは、高層ビルがまばらに立っている淋《さび》しいところだった。そこで早川は広大な土地を手にし、その土地はわずかな間に五倍以上の値をつけたという。

「一坪三千五百万だべ」

早川は嬉《うれ》しげに言ったものだ。

「一坪なんていったら、オレの田舎じゃ便所の足を踏んばるぐれえのとこだ。それがあっという間に三千五百万だからなあ……」

土地にかけては百戦錬磨というより、地獄を渡り歩いてきたような男がしみじみと述懐するのは、酔いのせいではない。そのくらい東京の地価が狂乱じみているせいであろう。

「土地はみんな欲しがってんだから、値段が上がるのは仕方ねえ。だけど困るのは、また今度のことで、週刊誌の連中が騒ぐことだなあ」

「写真週刊誌っていうのは、本当にイヤになるわよ。このあいだもお店から出てくるところを、パシッと撮られたんですからね」

邦子は憤然として言ったが、そう本気でない証拠に、ダイヤの指輪をつけた指はしきりに海老をむしっている。このところ邦子がマスコミに出ることは多い。銀座きっての凄腕《すごうで》のママ以上に、今をときめく早川の愛人という肩書きが効いたのだ。

これは加代子が教えてくれたことであるが、自分のことを書かれた記事に抗議するため、邦子は出版社の人間と会った。それをきっかけに、彼らをすっかり手なずけてしまったという。先日唐突に、「銀座の美人ママ」ということで、邦子はグラビアに載った。「美しさだけでなく、気品と知性を備えたママ」と、大変な持ち上げようであったが、それはいわば出版社側からの〝おわび〟だったという。

そういうことを聞いても、厚子は別に不思議だとは思わない。邦子は確かに強い魅力をはなっている。雪国の女らしく白い綺麗《きれい》な肌をしていて、四十代というのにシミひとつない。丸顔で笑うとかすかな笑窪《えくぼ》が出来るが、それが肌の柔らかさを証明しているようだ。まるで小さな生地見本のように、その笑窪が出来る肌の下には、もっとすべらかで白い肌がずっと続いているのだと見ている者に思わせるだろう。そして大きな二重の目は、少々垂れていて、邦子を若くあどけなく見せている。こんな少女のような目をした女が、銀座のママにふさわしい、いや充分過ぎるぐらいの賢さとしたたかさを持っているとは、なかなか思いつかないはずだ。

早川に語りかける時、邦子はじっと相手の目を見る。決して視線をはずさない。黒目が濡《ぬ》れている自分の目の強さをよく知っているからだ。

早川の話に迎合しているように見せかけ、時々は反発する。そして早川に逆らっているように見せかけ、最後にはちゃんと早川の意に沿っている。その会話の技術に厚子は感心し、ホステスというのも面白いかもしれないとふと思ったりする。

邦子はよくふざけて、

「アッコちゃんがうちに来てくれたらいくらでも出すわよ」

と言う。ちょっと根性さえ出せば、間違いなくナンバーワンになれるというのだ。けれども厚子は、向こう側の人間、水商売の世界に入ることにためらいがある。同じように芸能界の人間になるのも気がすすまない。今でも両方の世界からしょっちゅうスカウトされるが、きまりごとの多い場所はまっぴらだ。ホステスだったら、毎日店に行かなくてはならないだろう。歌手やタレントになるのなら、その前のレッスンが必要だ。それを考えると厚子はしんからめんどうくさくなってくる。今のように学生の身分が最高だ。好きな時に旅に出られるし、気が向かなければ朝学校に行かなくても済む。それより何より、ホステスやタレントでなく、ただの「お嬢さん」だから、男たちはこれほど自分にちやほやしてくれるのだろう。

早川はロールスロイスやベンツと自家用ヘリコプターでここに連れてきてくれた。別荘では何人もが、それこそひざまずくようにして自分たちに仕えてくれる。テーブルの上には贅沢《ぜいたく》な料理と酒が並び、もっと食べろ、もっと飲めと早川は言う。けれども他にも、このくらいのことをしてくれる男は何人かいた。自分の若さと美しさを金に換えない女には、男たちはいくらでも奉仕してくれるということを厚子はよく知っていた。いまの世の中、「シロウトの女」でいる方がずっと得なのだ。けれどもその法則が、傍にいる邦子の手にかかると音をたてて崩れてしまうのだ。

食事が終わり、一同はダイニングルームからラウンジへと移った。有名な建築家が設計したこの別荘は、間接照明がほとんどだ。けれども早川は強引にシャンデリアを取りつけたらしい。その方がはるかにこの部屋に似合っていた。足首がからまって転びそうなシャギーのカーペットだ。そこに店で使うような、本格的な大型のカラオケセットが置かれている。早川と邦子は、デュエットで歌い始めた。二人の定番は「銀座の恋の物語」という、あまりにも気恥ずかしいものだった。邦子はラメの入った藤色のニットツインを着ている。胸の隆起がはっきりとわかった。「ボイン」と表現されそうな胸だ。自分の母親と幾つ違うだろうかと厚子は、その姿を見つめている。母の方が二つ三つ年上ではないだろうか。昔から美人と言われた母であるが、艶《あで》やかさが邦子とはまるで違う。最近は腰のあたりに中年の兆《きざ》しが表れ、スカートがきつくなったと嘆いている。しかし母と邦子とはよく似ていた。どちらも結婚に失敗したが、その後次の男性にめぐり合っている。噂《うわさ》があったけれども、加代子は政治家の私生児ではなかった。母の邦子はごく若い頃、有名な政治家の長男と結婚したのが、そう伝わっているのだ。離婚の後、水商売を始めた邦子だが、今は日本で指折りの金持ちと同棲《どうせい》している。籍を入れるのも、もうじきらしい。母の方は、エリートといえどもサラリーマンだ。再びふつうの主婦となっている。夫が替わっただけで、平凡な人生のままだ。

が、邦子を見ていれば仕方ないとすぐにわかる。自分の母にこれほどの気の遣い方が出来るわけもないし、そこからにじみ出る色気など望むべくもない。

歌いながら邦子は、早川を見上げる。何千回と歌っているはずの「銀恋」だろうに、「この歌詞でいいのかしら」

とでもいうように、不安気に男を見つめる。そうかと思うと甘えるようににっこりと笑いかけ、その色っぽさ、愛らしさというのは、まさに女のプロフェッショナルという感じだ。母などは逆立ちしても無理だろう。

「ママとおじさん、すっごく仲がいいのね」

隣りでポッキーを齧《かじ》っている加代子に話しかけた。最近もう加代子のことを「先輩」と呼んだりしない。同い齢《どし》の女のように話しかける。今年になってから加代子は、ますます肥満の度を増している。横から見るとぬいぐるみのようだ。そのぬいぐるみが、めり込んだ鼻から、静かに息を吐き、めんどうくさげに答えた。

「あたり前よ。このあいだ仲直りしたばっかりなんだもの」

「ふうーん、喧嘩《けんか》してたんだ」

「そう、そう、すっごい喧嘩だったんだから。あのさ、パパが北海道にホテル持っててよく行くのよ。そこのホテルの美容師とデキちゃって、去年子どもを産ませたんだって。男の子だって」

「へえー、やるじゃない」

「だけどさ、ママはカンカンで、もう別れるって言い出したのよ。そうしたらパパって、二億だか三億出して、銀座にもう一軒お店を買ってやったのよ。それでママの機嫌も直ったっていうわけ」

「すごい話だねえ……」

厚子は歌っている二人を見つめる。二億か三億で繫《つな》ぎとめられている男と女の仲を決して不潔だとは思わない。羨《うらやま》しいとも思わない。ただ変わったもの、として見つめている。自分の母が手に入れたものは、安定した生活と愛情だけだが、もうひとりは巨万の富をもせしめようとしているのだ。

「それで自分はどれだけの価値があるのだろうか」

ふと思った。近頃、しゃっくりのようにこの疑問が、厚子のなかにわいてくる。夜の盛り場の仲間たちからとんでもない話を聞く。このあいだまで、男たちが厚子たちに与えたものは、贅沢な食事や酒であった。時折洋服を買ってくれる男もいたが、めったにあることではなかったし、厚子たちもそう図々《ずうずう》しいことは好きではなかった。ところが昨年あたりから、あきらかにタガがはずれたのだ。男たちがカルティエやティファニーの時計や、アクセサリーを買い与えるようになった。カルロス・ファルチ、プラダ、シャネルのバッグもプレゼントとして、男から女へととびかう。仲間のひとりは、ローレックスの時計を買わせたと自慢していたものだ。

その女が、自分よりもはるかに美しいというのなら、厚子は我慢もしよう。けれどもほとんどが自分よりも容姿も何もかも劣っている。あのレベルの女たちが、あれほど、い目に遭うのはどうも釈然としない。しかし男たちから高価な貢《みつ》ぎ物を得るには、それなりの努力もしなくてはいけないのだ。まめにつき合ってやることも必要だし、逃げない子気のあるそぶりも見せる。時々は危ない目に遭って、逃げる子もいるし、逃げる子もいる。自分はどうもそういうめんどうくさいことが嫌いだ、と厚子は思う。三十代の男たちとそういう駆け引きをするよりも、この邦子と加代子と、早川とでつくり出そうとしている疑似家族の中に入り、おいしいものを食べたり、自家用ヘリコプターで小旅行をした方が居心地がいい。このグループの中に入り込み、安全圏の中から、あたりをうかがったり、三人を観察するのは楽しいし、とても気に入っている。

けれども時に、時たまだけれども、あのしゃっくりが起こる。

「自分はどれだけの価値があるのだろうか」

この四十女より、あるのだろうか、ないのだろうか。この女が三億だとすると、自分はいったいどのくらいなのか。それを知りたいと思うのはいけないことだろうか。

「さ、次はアッコ歌え」

マイクを手渡してくれる時、早川は自分の手の甲に必要以上に触れていなかっただろうか。だから厚子は、中森明菜の新曲を歌う。歌いながらふりをつける。腰をちょっと振る。三億もらう四十女には出来ない動きをちょっとだけする。これ以上のことは考えてはいない。いつしか加代子と邦子、早川の三人が手拍子をおくる。その中で踊りながら、厚子は奇妙な幸福感につつまれる。

4

二十歳の誕生日を迎えた時、厚子は自分が大層年をとったような気がした。もしかすると、自分の価値の何割かは、今日をもって消滅したのではないか、自分を取りまく男たちの何人かは消えていくのではないか……。

しかしそんなことは全くなかった。それどころか、ますます美しくなったと多くの者たちは言う。今までも背が高く、プロポーションがよいと誉《ほ》められたが、このところ、自然にウエストや首のあたりの余分なものがこそげ落ちていった。ウエストがくびれた分、胸の豊かさがますます強調される。胸の大きな女は馬鹿《ばか》に見えるからと、きつめのブラジャーをつけることは変わらないものの、薄いニットを着たりすると自分でも気恥ずかしくなるほど、丸い形が少々行儀悪く前に突き出る。

スカウトされることが多くなり、めんどうくさいので、よく名前を聞くモデルクラブに入ることにした。といっても、クラブから言われるオーディションには行ったこともない。「籍を置いている」という言葉がぴったりだ。

担当の女性マネージャーはもうあきらめ顔で、

「もうちょっとちゃんとやってくれたら、賀来千香子《かくちかこ》くらいの売れっ子になれたかもね」

と、つぶやく。彼女も学生時代、雑誌モデルから火がついたのだ。

「アッコちゃんくらいタッパがあったら、ショウにだって出られるわよ」

マネージャーは昔からこの仕事をやっているので、今でもモデルはファッションショウに出る者の方がランクが上だと信じているのだ。

「この頃のコは、雑誌やCMに出る方がいいと思ってるけど違うのよ。舞台に出るコの方がずっと格が上なの」

彼女に連れられて、ケンゾーやメルローズのショウを見たことがある。事務所の先輩も何人か出ていて、ちょっと面白いかなあと思ったけれども、そのためにはウォーキングをはじめとする、さまざまな動きを学ばなくてはならない。

「ああいう歩き方をするようになると、街でもすぐ、あ、モデルのコだ、ってわかると思うの。ああいうのイヤだなあ。ふつうの女の子じゃなくなるって、ちょっとコワい気がするの」

「何言ってるのよ」

マネージャーは笑った。

「あなた、とっくにふつうのコじゃなくなってるわよ。アッコちゃん見て、ふつうの女子大生だなんて思う人、まずいないわ」

それもそうかもしれないと厚子は思った。

自分でもとうに気づいている。今、自分が身につけている美しさや華やかさというのは、もはや女子大生の範疇《はんちゅう》を越えているというのを、厚子は高志からはっきりと知らされることになった。就職して前のようにはつき合えないからということで、彼から別れを告げられたのだ。男の方から別れを口にされたのは初めてだったから、厚子はかなりむっとした。が、よく考えてみるとそう仕向けたのは自分であった。

高志とデイトをする時、「イタリアン・トマト」のパスタをかなり我慢して食べた。どうして青山の「サバティーニ」に連れていってくれないのだろうかと思ったけれど、口には出さなかった。きちんとした大学生とつき合っているという事実は、自分とふつうの世界とを結ぶ唯一《ゆいいつ》のものだと思っていたからだ。今はこちら側の世界で、自由に泳ぎまわっているけれども、年をとって疲れたら、いつかはあちら側に帰る。そのためにも高志は必要だった。だからまずいパスタも、レストランで〝ふつう〟に通される入り口付近のひどい席も、ティファニーでもいちばん安いリングも、自分は耐えていたではないか。しかしどうやら高志は、自分のそういう不満に気づいていたのだ。多少の夜遊びは仕方ない、アッコのことは信じているよ、といったけれども、一連のことは若者の度量をはるかに越えてしまったらしい。

が、まわりの女の子たちを見ても、そういうことはいくらでも起きている。以前からのボーイフレンドと別れた、という話は珍しくもなんともない。

「もしかすると、もうふつうの人とは結婚できないかもしれない」

正直に言ったのは、有名なお嬢さま大学に通う玲子《れいこ》だ。彼女はとある新興レコード会社の社長と、先日ヨーロッパ旅行に行ってきたばかりだった。

「だって、慶応出てて、おうちもちゃんとしてる人だって、就職したらもらう給料なんて知れてるでしょう。たった三百万か四百万よ。私、彼の初任給の額聞いてぞっとしちゃった。私、とてもあんなお給料で暮らせない」

「じゃさ、ミツオ君とか、タムラのショウちゃんみたいな人と結婚すればいいじゃないの」

彼らはアメリカ帰りの歯科医や、企業の二代目だ。遊び慣れていて、金はふんだんにあるという連中だった。

「ああいうのと、結婚したいと思う？」

　玲子は声を潜めるように言う。

「結婚したら、次の日から浮気されるに決まってるわよ。あの人たちって、女の人に関してどっかヘンだもん」

　歯科医の方は、このあいだも女優との仲を週刊誌に書かれたばかりだが、それが大層自慢らしく、夜の遊び場で「まいっちゃったなあ」を連発している。

「そうかといって、慶応や東大出て、銀行や商社に勤めてる人と結婚するっていうのも、キョーフよねえ……。おうちの方から援助してもらっても限度があるでしょう。2DKぐらいのところに住んで、まずいお店行くなんて、一生出来ると思う？　私ね、この頃本当に、結婚出来ないんじゃないかと思って、悲しくなっちゃうのよ」

　厚子と同じ二十歳の玲子は、そう言ってため息をつく。膝《ひざ》の上には、ヨーロッパ旅行で買ってもらったらしいシャネルのバッグが置かれていた。指にはプチダイヤを花のように加工したリングだ。玲子も「社長」とボーイフレンドとを両立させようと努力したのだが、うまくいかなかったひとりだ。

　厚子は早川のことを思い浮かべる。自分にとって「社長」は早川に違いない。彼はよく加代子と自分に洋服を買ってくれる。といっても、たっぷり肥満した加代子に合う服はなかなかなく、彼女の方はハンドバッグや靴になることが多い。カッティングが最高で、ユーミンがよく着ていることで知られるアライアのスーツも、このあいだ早川から買ってもらった。

「アッコはうちの嫁になってもらうコだから、洋服ぐらいいくらでも買うべさ」

こんなことは早川の詭弁《きべん》だというのは、誰だってわかる。その長男というのに、厚子は一度も会っていない。女に目がない早川の近くに、これほど若く美しい女がいるのだ。みなが言うとおり彼が食欲を起こさないはずはなかった。けれども早川の傍には、内縁の妻というべき邦子がいて目を光らせている。そのため、早川は厚子をどうすることも出来ない。だからこそ「息子の嫁に」などと、見えすいたことを口にしている。それが厚子には何やらおかしい。「おじさん」という呼び方はやめてこの頃は加代子と同じように「パパ」にしている。

「ねえ、パパ」

と、わざとしなだれかかると、早川の肩がぴくりと反応する。が、それ以上図々しいことは決してしない。これがディスコのＶＩＰルームの男たちなら、

「何だい、さあ、アッコ。パパのお膝においで」

と、ふざけて手を触れようとするだろう。ところが早川は厚子に対して、まるで似

合わないまじめさを保っていた。それは冗談にせよ「息子の嫁に」と口にしているせいもあったろうし、何よりも邦子が恐《こわ》いからに違いない。けれどもそれ以上に、厚子は早川の視線の中に気弱な優しいものを感じる。厚子はよく喉《のど》をのけぞらせて笑う。周囲から「アッコ笑い」と呼ばれる豪快な笑いだ。まるで男のように笑うと言われるが、厚子は知っている。こういう風に笑うと、自分の首から胸元にかけての、まっ白いきめ細かい肌がむき出しになるのだ。だから一緒に声を出して笑いながら、男たちの視線は矢のように、ここに向かって飛んでくる。

しかし不思議なことに、早川の矢は痛くない。こちらに向かって放たれているけれども、それはひ弱な矢だ。欲望という強さを持っていない。

どうしてと思いながら、厚子はそれがおかしく楽しい。だからさらに喉をのけぞらせる。そういえば高志と別れて以来、ここに唇をつけた男はいないと思いながら。

「だからね、私はすぐに担当者に電話したのよ。今が買い、買い時なのよってね。飛行機が落ちるなんてめったにないことなんだから、ＪＡＬの株は落ちに落ちるってね。これ以上は落ちるはずはないんだから、今がチャンスなのよ」

この何年か株に凝っている邦子は、最近この株の話をするのが得意でたまらない。

日航機が落ちた時、かなりまとまったＪＡＬの株を買ったことを手柄のように話すのだが、厚子はとても嫌な気がした。

羽田から大阪へと向かう日航機が墜落し、乗員乗客五百二十人が死ぬという大惨事になったのだ。中にはディズニーランド帰りの子どもたちも何人かいて、遺品の中にはお土産のミッキーマウスやミニーのぬいぐるみがあった。あれを見て、普段は子どもがあまり好きではない厚子も、思わず涙がこぼれてきた。それなのに邦子は、チャンスだとばかり、すぐさま株を買いに走ったというのだ。

早川もさすがにむっとしたような表情になり、黙って箸《はし》を動かしている。早川はしゃぶしゃぶが大好物で、この店では上得意だ。あらかじめ予約しておくと、最高の山形牛が用意される。それは早川の故郷の牛だ。いつもだったら、二、三枚まとめてすくって鍋《なべ》の中に入れる早川が、ぐずぐずと肉をひき上げない。

「ほら、パパ、色が変わって、硬くなっちゃったわよ」

早川の機嫌が悪くなったのを見てとると、邦子は騒々しい声をあげ、自分の箸で肉をすくい上げた。

これも加代子からの情報であるが、最近株用の資金として、邦子は億という単位の金を早川に用意してもらっているのだ。それ以外にも、銀座の店ともう一軒手に入れた店、二軒の内装費に相当早川は使っているらしい。

「でも仕方ないかも。パパがなかなか籍を入れてくれないから、ママはカッカしてるのよ」

加代子が言った。

結婚はしないと気取っていた邦子が、最近は本性を表したらしい。

「だってさ、もう五十の男と、四十いくつの女でしょう。いつ結婚しようと勝手でしょう。誰からも文句が出るはずないじゃないの」

「パパの子どもたちが大反対してるみたいよ。財産をみんなママに持ってかれちゃうと思ってるみたい」

そうかもね、とも言えずに厚子は黙った。話に聞くだけだが、最近邦子の金の無心の仕方は尋常ではなかった。

最近マスコミに早川の名が出ることが多い。西新宿の土地がらみで彼はいちやく有名人になったようだ。

「あぶく銭の時代」

という見出しをつけ、早川のことをこと細かに書きたてた週刊誌があった。貧しい東北の農家に生まれ、中学しか出ていない男が、この地価狂乱に乗じて何百億という金を手にしたのだ。競走馬が趣味で百頭以上も持っている。それよりも大好きなのが女だ。現在、銀座きっての凄腕《すごうで》ママで、「男からしぼり取るだけ取る」ので、カマキリママというあだ名を持つ女と同棲《どうせい》している。名うての地上げ屋とカマキリママとでは、これ以上の似合いのカップルもいないだろう。

ところが、これ以外にも数人の愛人がいて、最近自分のホテルの美容師に子どもを産ませ、認知したばかりだ、という記事の最後は、

「まさにあぶく銭を手にした男。早川にとって、馬や女に使う億の金も、はした金に過ぎないのであろう」

と結ばれていた。

「あぶく銭」。もちろん厚子はそれを手にしたことがないが、それが動くのは見聞きしている。教師の家に生まれ、サラリーマンの義父に育てられた自分でさえ、単位の感覚がずれていくのがわかる。それはあっという間だ。

早川と一緒に府中の競馬場へ行く。早川は一レースに三百万円賭《か》けることはしょっちゅうだ。黒い鞄《かばん》の中から札束を取り出す。それが窓口に消えていき、替わりに何枚かの紙片が渡される。あれをいつから自分は平然として、見られるようになったのだろうか。わりと早い時期にだ。それに邦子がどっぷり慣れていったとしても何の不思

議もない。二人は夫婦なのだから。

おそらく邦子はこれからも、何億という早川の金を遣い、早川は何百億と稼ぎ出していくのだろう。「あぶく銭」。しゃぶしゃぶの鍋の中には、本物のあぶくとアクが浮き立っている。ぐつぐつ煮えている鍋。ここからあぶくをすくい取る者が勝者になっていく。そしてこの勝者に群がる女たち。

それにしても、早川は本当に幸せなのだろうか。そしてそんなことを自分は、どうして考えたりするのだろうか。


「ああ、よかった。アッコちゃん、やっとつかまったわ」

邦子がしんから安堵《あんど》したようにため息をついた。

「いくらうちに電話しても、いないんですもの。このあいだは、こんなに遅い時間に電話しないでくださいって、お父さんに叱《しか》られちゃったわ」

最後の方は非難がましい口調になっていて、厚子は少々むっとする。そうそう邦子たちとばかりつき合ってもいられない。早川と邦子、そして加代子の四人で遊びに行くのは贅沢《ぜいたく》なところばかりで、それなりに楽しかったのであるが、このところ雲行きがおかしい。以前のように、早川と邦子が、人目もはばからず、仲良いところを見せることが少なくなったのだ。

「そりゃ仕方ないいんじゃないの。パパが子ども生んだ美容師の他に、いろいろ恋人をつくるんだもの」

と加代子は解説する。今までも赤坂の芸者や名古屋のホステスといった愛人がいたのであるが、最近はたまにテレビに出る若いタレントともつき合っているという。

「それでね、ママはカッカしてるんだけど、パパの方は居直ってきちゃってね。それがイヤだったら、出てけ、っていう感じになっちゃってるのよね。ママって本当に可《か》哀想《わいそう》だわ」

加代子ははちきれそうな頰をかすかに震わせた。力の強い母親の元で育った彼女は、おっとりというよりも、人の感情の襞《ひだ》を読めない女になっている。ものごとすべてに対して、平坦《へいたん》な見方しか出来ない加代子から聞く早川夫婦のことは、断片的でよくわからない。が、厚子が察するところ、邦子が早川の女性関係に怒り、二人は何度もやり合っているらしいのだ。けれども、あの計算高い邦子が、今、日本で指折りの金持ちに登りつめようとしている早川を手放すはずはなかった。だからいったん怒りをぶつけるものの、すぐに下手に出て、早川の機嫌をとるようになる。早川は早川で、そういう邦子をなめてかかっているのだ。となると、邦子のストレスは大変なもので、二人はもう以前のような、ぽんぽんとびかう楽し気な会話をしていない。いつのまにか二人は、相手をうかがうようにして、不機嫌な夫婦関係を続けているのだ。が、ここに厚子が入ると、空気はたちまち一変する。早川の表情がぱっと明るくなるのだ。

「アッコ、こっちへ来い。アッコ、何が食べたいんだ」

「そうだなあ、どこにしようかなあ。和田門がいいなあ」

厚子は六本木のステーキハウスの名を口にする。ここは値段が高いことで有名だが、いいワインを置いてあることでも人気が高い。早川はほとんど酒を飲まないのだが、厚子が飲むのを見るのは好きなのだ。

「おお、そうか、そうか。じゃ、すぐに予約しろ。おい、邦子、すぐに電話をかけろ」

「はい、はい」

邦子は水商売の女独得の身軽さで立ち上がる。厚子が何かを求めて、やっとこのグループの歯車が動き出していく。

「アッコは本当にうまいもん、よく知ってるなあ。アッコが教えてくれる店にはずれはない」

すると邦子が立ち上がりながらあいづちをうつ。

「そうよ、アッコちゃんは若い時から、東京中のおいしいとこ食べまくっているんだもの」

けれどもあんなことも少々、飽きてしまっている。仲が冷えつつある中年の夫婦のことなど、どうでもいいと思う。別に彼らとつき合わなくても、ディスコのＶＩＰルームに行きさえすれば、好きな店に連れていってくれる男はいくらでもいる。最近の厚子は、むしろ〝庶民的〟な「玉椿《たまつばき》」の六本木店が気に入っていて、ここでよく踊ることが多い。慶応の遊んでいるグループの男の子たちが常連で、山脇《やまわき》や川村のとびっきりの美女たちを連れてくる店だ。若いふつうの男の子たちと踊るのは、とても楽しい。金持ちの男たちに贅沢な店に連れていってもらうのも楽しいが、同い齢《どし》の男の子たちと遊ぶのはもっと楽しい。どちらも充分に味わうことの出来る自分は、本当に得をしていると厚子は思う。友人の中には、大金持ちの男にすっかり調教されて、もう若い男とつき合えなくなった若い女が何人もいる。そういう女は、愛人としていつかはマンションに囲われる身の上になるのだ。

「ねえ、ねえ、アッコちゃん、聞いてる」

受話器の向こう側で、邦子が苛立《いらだ》った声をあげている。

「ええ、ちゃんと聞いてますよ」

「それでね、来週の水曜に私たちのうちの新築パーティーがあるのよ。パパがね、アッコは来るのか、ちゃんと来るのかって、大変な騒ぎなの。ねえ！　パーティーに来てくれるわよね」

そうか、そんなことを聞いたことがあると厚子は思った。早川と邦子は、今まで青山のマンションに住んでいたのであるが、昨年成城に三百坪の土地を買い、そこに新居を建てていたのだ。地上三階、地下一階の豪勢なもので、この家のプランを考えたり、打ち合わせをしたりと、邦子は銀座の店に週に二日しかいけなかったという。

「それでね、共同名義にしてくれるとばっかり思ってたのに、パパは知らん顔をしてるらしい。籍を入れてくれないんなら、せめて家の半分はと思ってたから、それでママはもうがっくりきてんのよ」

これも加代子から聞いたことだ。

「ねーね、アッコちゃん、きっと来てくれるわよね」

「いいですよ」

たいてい夜の予定は埋まっているけれども、みんなどうでもいいような予定だ。水曜日の夜、成城に行くくらいどうということもない。

「よかったわ。もうパパは、アッコちゃんが来てくれるのと、来てくれないのとじゃ、機嫌がまるで違うのよ。成城は遠いからハイヤーを出すっていってるの」

「そうですか。それじゃお願いします」

夕方の小田急の混雑を考えるとうんざりしてしまう。ハイヤーでゆったりいけるなら、こんないいことはない。

「じゃ、お願いするわ。本当に絶対に来て頂戴《ちょうだい》ね。そうでなきゃパパはがっくりしてしまうわ」

それなのに厚子は、水曜日の約束をすっぽかしてしまった。仲のいいグループのひとりである幸子が二十歳の誕生日を迎えた。「シシリア」でパーティーをしているうち、家にハイヤーが来ていることなどすっかり忘れてしまっていたのだ。

「どうだった」

と加代子に電話をしたところ、

「どうっていうこともなかった」

という返事があった。

パーティーにはホテルの仕出しを頼み、三百人以上の客が集った。早川興産のＣＭに出演している昔の日活のスターがスピーチし、有名な演歌歌手が一曲歌った。今度の家の地下には本格的なカラオケルームがあるのだ。政治家も来たし、相撲取りも来た。テレビでよく顔を見かけるタレントも来た。

「それでね、例のパパの愛人たちも来たのよね」

最初は手伝いにやってきた銀座のホステスたちだと思っていたのだが、どうも様子が違う。早川に馴《な》れ馴《な》れしくふるまっているのだ。

「それもふたり。どうやらひとりは名古屋の女の人らしいわ。上から下までヴァレンティノづくしですごく目立っていたわ」

その夜、早川と邦子は大喧嘩《げんか》をし、邦子と加代子は青山のマンションに帰ってきたという。

「私はいい迷惑よ。成城に荷物送り出してたから、着替えもなかったのよ。がらんとしたマンションでさ、ママはもうピイピイ泣くの。あんなひどい男だと思わなかった。もう今度こそ別れる、って泣いてるの」

邦子が泣くとは意外であった。想像も出来ない。厚子が知っている限り、邦子はいつも一分の隙《すき》もない装《よそお》いと化粧をしている。よく手入れのいきとどいた美しい肌をし、笑窪《えくぼ》を見せて微笑《ほほえ》む。あまりにもたえず微笑んでいるので、口角がきゅっと上がってかすかな皺《しわ》が両側に出来ているくらいだ。そして笑いながら語られる会話。

「ホントにアッコちゃんって綺麗《きれい》ねえ」

「アッコちゃんの話って面白いわ。これじゃ、みんなが夢中になるわけよね」

「そつがない」というのは、こういうことをいうのだろうか。なめらかな肌になめらかな会話。すべてのものがなめらか過ぎて上滑りしている。何ひとつ心にひっかかるような言葉を口にしない。それが邦子という女だ。

これは邦子が口にしたことであるが、彼女は北の国の生まれであった。

「そりゃあお堅い家に育ったのよ。うちの父は中学校の校長をしていたんですもの」

高校を卒業した後は、地元の銀行に勤めた。それは当時の、家も顔もよい女の選ばれたコースだったという。この頃邦子は、地元のミスコンテストで優勝しているのだ。田舎で器量よしの娘には、必ず良縁が待っている。やがて邦子は、地元選出の有名政治家の息子と結婚する。息子は父親の秘書をしていた。大臣経験もある男の長男だったから、世間は「玉の輿《こし》」と囃《はや》したけれども、たった三年で別れてしまう。加代子はその時の子だ。

「私はいってみればお嬢さまだったから、離婚して初めて世の中の厳しさを知ったの。子どもを抱えて女ひとり生きていかなきゃいけないから、心を決めて水商売に入ったの」

と邦子は言うけれど本当だろうか。

　邦子が何かの拍子に、笑うことをやめることがある。次の微笑への準備をするまでの短かい時間、邦子の顔に暗く冷たいものが漂う。塀の上からとび降りて、あたりを窺《うかが》う野良《のら》猫のような目だ。おそらく邦子には、誰にも言わない月日があるに違いない。本人が言う「お嬢さま」と「カマキリママ」の間に、いったい何があったのだろうか。厚子がそんな思いをめぐらすうち、邦子はあっという間にいつもの微笑をうかべる。白くやわらかい微笑。少女のように白いすべすべした肌は、彼女が四十三歳だということも、銀座のやり手のクラブママだということも忘れさせてしまうはずだ。

　早川の知っているのはどちらなのだろう。たぶんどっちの顔も知っていて、その上で一緒に暮らしているに違いなかった。邦子は早川と争って成城の家を出たということだが、すぐに元に戻るだろう。「腐れ縁」というのはこういうことだろうと厚子は思い、その「腐る」という言葉から、二人のセックスを連想した。

　以前酔った早川が口にしたことがある。

「うちのカアちゃんは、あっちの方が最高だから」

　その時邦子は、餅《もち》のような頰を上気させ、いやーねと早川をぶつ真似《まね》をした。二人のことを考える時、いつもあの場面を思い出す。ねちねちとからみ合う中年の男と女の性愛というのは、お互いどうしても逃れられない魅力と充足感を持っているらしい。

厚子は自分と何人かのボーイフレンドのことを思った。このあいだ別れた高志を入れて四人の男を知っている。この年にしては多い方だろう。厚子の遊び仲間の中には、二ケタの男性を経験している者もいるが、厚子にはそんな度胸がない。口説かれることは山のようにあるけれども、そこまでいくのがめんどうくさかった。

それにたいていの男たちは行儀がいい。車で送ってくれる最中、そういうことをほのめかされても、

「いやーだ、そんなつもりでいたなんて。私、考えもしなかった」

と、きつい調子で言えば、謝るのは向こうの方だ。どうして男というのは、あれほどたくさんの金を女に遣って、いざとなるとあっさり引き退《さ》がるのだろうか。

「そりゃあ、言いふらされるのがイヤだからに決まってるじゃないの」

仲間のひとりが言った。

「これだけおごったんだから、買ってやったんだからさせろよ、なんてケチなことを言う男がいたら、その日のうちに広まっちゃうものね。私たちに誰もそんな失礼なことをしないわよ。ほら、今日子《きょうこ》ちゃんなんて」

美人で有名な短大生だ。

「ソニア・リキエルの店でさんざん買ってもらった後、軽井沢行きたーいとか言って、その夜のうちに万平ホテルへ行ったんだって。でも、いざとなったら、私、その気がなーいって言ったら、向こうもわかったって言って何もしなかったって。今日子ちゃんが言うのよ。男の人たちは別に、お金遣いたいからいいのよって。私たちとのことはゲームなんだから、最後までいかなくても仕方ないって思ってるって」

厚子たちの間では、金のためにだけ男とつき合う女は軽蔑《けいべつ》される。それよりももっと馬鹿《ばか》にされるのは、セックスに溺《おぼ》れる女たち。おととし『モア・リポート』という本が出版され、女たちのセックスが赤裸々に報告されていたが、厚子たちの間で読んだ者は誰もいない。

「あんなものぐらいのことで、ごちゃごちゃ言うのはカッコ悪い」

と誰かが言っていた。一応ステディな彼が出来ればホテルへ行くこともある。カラオケセットや室内プールのある豪華なラブホテルが流行しているが、行くならばやっぱりシティホテルで、ニューオータニか赤プリが決まりだ。出来たばかりの六本木プリンスホテルも人気がある。誰かが「高級ラブホテル」と言っていたけれども、エントランスが狭く、わかりづらい場所にあるこぢんまりとしたホテルだ。そしてそこで何時間かを過ごすのだが、厚子は自分が外見と違って、わりと淡白だということを知っている。楽しいことは楽しいが、自分の中で「これ以上はやめておこう」と決めているようなところがある。「セックスに溺れる」などというのは、もてない女のすることだと思う。そんな厚子にとって、早川と邦子のセックスというのはずうっと謎《なぞ》のままだ。

「ま、私には関係ないことだけど」

と、ひとりごちた。

早川が建てたばかりの成城の豪邸に、ある朝一発の銃弾が撃ち込まれた。門のランプを壊しただけであったが、「地上げの帝王の危機」と、多くのマスコミが書きたてた。例の西新宿の土地をめぐって、暴力団といざこざを起こしたのだろうと、週刊誌の記事にはあった。

土地がもの凄《すご》い勢いで騰《あが》り始めている。政府が貿易黒字を少しでも解消しようと、国内で金を使うことを奨励しているのだ。

政府によほどの知恵者がいたのだろう。日本人のいちばん好きなものは、土地と家だとすぐに見抜いた。みんなが土地を買えるようにと、今まで不動産屋をがんじがらめにしていた法律を大幅にゆるめたのだ。建物の容積率も上がったし、住居専用地域でも、高い建物がどんどん建てられるようになった。それだけではない。やさしい中《なか》曽《そ》根《ね》総理は、全国百八十ヶ所以上の国有地を「何かに使うように」と払い下げてくれた。民間のマンションや住宅が建つはずだったのに、とてもふつうの人間が買えない値段となった。一九八五年、都心の坪一千万の土地は、次の年には三千万近くまでに上がったのだ。金がなくても銀行やノンバンクが、いくらでも貸してくれるから、今、多くの人たちが土地漁《あさ》りに走っている。

厚子にはわからないことであるが、大きな金が動くところには、必ずよからぬ人間たちが群をなしてやってくるという。早川は彼らを長年にわたってうまく手なずけているつもりでいたらしいのだが、どうやら彼の金や力があまりにも巨大になった結果、〝おこぼれ〟に不満を持つ彼らが、早川を脅した、ということらしい。

「もうあんな家、帰りたくない、ってママは言ってるの」

加代子から電話がかかってきた。

「毎晩ガンガンやり合っていたのよ。どうしても籍を入れて欲しい、そうでなかったら、この家を共同名義にしてくれってママは言ってたんだけど、どうしても聞いてくれないから、ママももう限界だったんじゃないの」

邦子は加代子と二人、夜遅く荷物をまとめて出てきたという。その脱出劇を、加代子は面白おかしく話した。

「とにかくパパに気づかれちゃまずいってね、毎日少しずつ、わからないように荷物をまとめてたの。引越し業者の時間が少し遅れてね、あの時はママも私も本当にドキドキしちゃったのよ」

「そんなのヘンじゃない。別れたければ、さっさと家を出てくればいいじゃないの。おたくのパパとママ、正式な夫婦、ってわけじゃないんだから」

「それはさ、パパのことよく知らないからよ。あの人、暴力団だっていっぱい知ってるんだから、逆らったりすると、何をされるかわからないってママは言ってるのよ」

なんだかよくわからない二人だと厚子は思う。邦子はもうさんざん、早川から金を出させているのだ。金で繫《つな》がっているならば、それなりに対処の仕方があると思うのだが、早川が不実だとか、女性関係が派手だといつも愚痴ってばかりいる。もともと納得ずくで、二人は同棲《どうせい》を始めたのではなかったか。

「それでね、ママがアッコと久しぶりにご飯を食べたいって」

あまり気が進まないが、断わると、じゃ、いつなら空いてるのと、加代子がしつこく迫るのはわかっている。

「別に、構わないけど」

「あのね、パパが私たちのこと探してると思うんで、目立たない店がいいってママが言うの。六本木の中国飯店はどうかな」

有名人がよく来る中国飯店も、かなり目立つ店だと思うのだが、邦子はそこに来てほしいという。

約束の二日後、六時半に中国飯店に入っていくと、隅の席から手を振る女がいる。銀座の店から来たらしく、紫地に紅葉を染め出した着物を着ている。綸子《りんず》というのだろうか、店の暗い照明にも反射するほど輝やいている生地だ。

「あれ、加代ちゃんは」

「加代子はね、ちょっと用事が出来たのよ。今日は二人でいいかしら？」

いつも思うことなのであるが、邦子の「かしら」は、決して嫌とは言えない問いかけだ。ねえ、いいでしょう、ねえ、許してくれるわよね……おそらく邦子は今まで男たちにこう問いかけて、ほとんど否《いな》と言われなかった人生なのだろう。

「アッコちゃん、このあいだもパパと一緒に、府中に出かけたんだって」

「ええ、行きましたよ」

厚子はこの頃、競馬場へ行くのが好きだ。下のスタンドで、汚ならしい男たちに混じって見るのはまっぴらだが、上の馬主席は広く快適だ。自分で馬券を買いに行くこともなく、事務員がうやうやしく金を受け取りにくる。そして早川と並び、双眼鏡片手に馬を眺める。

ただ見ているだけではつまらないだろう、これと思うのに賭《か》けてごらん。そう言って早川が、十万二十万出してくれるようになって、競馬はますます面白くなった。厚子はデータを見て統計を出す、などというめんどうくさいことはしない。パドックを歩く姿を見て、あれと指さす。ビギナーズラックそのままに、万馬券をあてたこともあり、

「アッコは勝負運がある」

と早川は誉《ほ》めちぎったものだ。

「うちのツバサキングはどうかな」

悪戯《いたずら》っぽく問うてくる。ツバサキングは、早川が競《せ》り落とした馬だ。二億五千万という値段は新聞ダネにもなったらしいが、その後はパッとしない。

「うーん、あの馬、あんまり好きじゃないかも。毛の色が汚ないから」

「ふふ、毛の色が汚ない。そりゃあよかったなあ」

何を言っても早川は上機嫌だ。

「それでパパは、楽しそうだったでしょう」

自分が思い出していたことを邦子に指摘された。

「ええ、楽しそうでしたよ。だって早川さん、馬が大好きだから。どんなに嫌なことがあっても、馬を見ると元気になるんですって」

「そりゃね、大のお気に入りのアッコちゃんもいたんだし、パパは大喜びよね」

いったい何を言いたいのだろうと、厚子は邦子の顔を見つめた。もしかすると自分と早川とのことを嫉妬《しっと》しているのだろうか。馬鹿々しい。女好きのおじさんは単に若い女の子と遊びたいだけなのだ。競馬場を除けば、たいてい邦子親子と一緒だった。だいいち自分はそんなそぶりを見せたこともない。

そこへフカヒレの姿煮が運ばれてきた。ここの名物である一品は、こげ茶色のねっとりとした艶《つや》を見せている。

「熱いうちに召し上がれ。コラーゲンはすごく肌にいいのよ」

「そうですかァ……」

おいしいものには目がない厚子は、疑問はひとまずおくとしてレンゲを持って口に運ぶ。本当においしい。よその店ではこれほど厚く濃厚なフカヒレは出てこないだろう。

「加代子から聞いたと思うけど、私、成城の家を出てきたのよ。とてもじゃないけど、あの人にはついていけないのよ」

「そうですかァ」

自分には関係ないことだ。フカヒレは熱くとろみのあるスープに包まれている。

「でもね、パパを残しておくのは心配なのよね。それでね、アッコちゃんがパパのめんどうをみてくれればいいなあ、って思うのよね」

「私が、なぜ」

厚子はレンゲをおいた。

「めんどうって、私、家事なんかまるっきり出来ませんよ」

「そういうことじゃなくって」

邦子はじれったそうに厚子を見る。ごっくりとフカヒレを呑《の》み込む。

「ほら、パパはアッコちゃんのことが好きだし、もし二人がつき合ってくれれば、この後も私、すごく安心出来ると思うのよ」

「やぁだあ」

厚子は笑い出した。喉《のど》をのけぞらせて笑う。中国人の若いウェイトレスが、不思議そうにこちらを見た。

「早川さんって、うちの父と同じぐらいの年なんですよ。そんな人と私が、どうしてつき合わなくっちゃいけないんですか」

「あら、アッコちゃんって、パパ、パパって甘えるから、少しはそういう気持ちがあるのかと思ってた」

邦子の目が光っている。そうだったのか。邦子はこの目で、ずっと二人を観察していたのか。早川はきっぱりと別れるには惜しい相手だ、なんらかのつながりは持っておきたい、それが厚子の若い肉体ということなのか。怒ってもいい話なのであるが、厚子はそれほど腹が立たない。邦子の常日頃の言動を見ていれば、こういう発想をしても少しも不思議ではなかった。

「あの私、ボーイフレンドいるし、早川さんとどうのこうの、という気持ちはまるっきりありませんから」

とりあえず席を立つのは、フカヒレと、その後邦子が頼んだ黒豚の酢豚を食べてからにしようと厚子は思った。

5

写真週刊誌に「地上げの帝王の馬と女」という記事が出たのは、次の週のことだ。

府中競馬場で、並んで座っている早川と厚子の姿が写っている。おそらく遠くから撮ったのだろう、少しぼやけているが、知っている人なら誰でも早川に寄りそう女が、厚子だとわかるだろう。

「早川興産社長・早川佐吉といえば、西新宿の土地買収で名をはせた、人呼んで『地上げの帝王』。今や飛ぶ鳥を落とす億万長者となった彼には大好物がふたつある。ひとつは馬で、高額馬ツバサキングを筆頭に、所有する馬は百五十頭をくだらないとか。そして馬以上に大好物なのが女というのはあまりにも有名だ。六人の愛人がいると豪語していたが、カマキリママの異名をとる銀座の凄腕ママと同棲している。が、彼の最近の最もお気に入りは、女子大生で通称アッコ。今ではどこへ行くにも同伴するという寵愛《ちょうあい》ぶりだ。実はこのアッコ、カマキリママの娘のK子さんの後輩というのだから、いやはや早川の女好きにも驚くばかり」

厚子はもう一度写真を見つめる。白いアルファキュービックのワンピースを着ている。ということは、この写真は先月撮られたものだ。けれども誰がいったい、こんなことをしたのだろう。実名こそ出ていなかったものの、知り合い、友人、全部合わせれば、数百人、いやもっと多くの人々が、この記事を読むだろう。そして自分は早川の愛人ということになってしまうのだ。いったいどうしたらいいのか。義父や母が写真週刊誌を読むはずはないが、いつかは耳に入ることもあるだろう。この頃ディスコで知り合ったマガジンハウスの編集者にでも相談してみようか。いや、あの男は口が軽そうで信用出来ない。あれこれ悩んでいる時に、早川からの電話があった。

「本当に悪かったな」

まず早川は大声で謝罪した。

「アッコは、あのおばはんにはめられたんだ。あのおばはん、家を出てく時、高い家具や絵をどっさり持っていった。そして最後っ屁《ぺ》みたいにこんなことしやがって！」

「邦子さんがしたっていうの」

「ああ、そうだ。あのおばはん、前から写真週刊誌のフリーライターと仲よくなって、オレの記事もこそこそ出してたんだ。だけど、まさかこんなことするとは思わなかった」

「私、大迷惑だわ」

厚子は叫んだ。

「私、これじゃ親に怒られるよ。お嫁にもいけないよ」

わかった、わかった、とにかく会って相談しようと、早川はせかせかと電話を切った。いろいろ話をするのに、目立たないところがいいからと、早川が指定してきたのが中国飯店だったのは皮肉だった。もっとも彼は二階の個室を予約していた。

「ちょっとひどいよ」

厚子はどさりと椅子《いす》に座った。友人から記事を見たという電話が昨日から何本も入っている。みんなが、早川との仲を信じていることが驚きであった。端から見ていて、自分と早川はそういう風に見えていたということか。

「アッコには本当に悪いことをしたと思ってる。このとおりだ」

早川はいきなり頭を下げた。薄い頭頂部が目の前につきつけられた。

「アッコみたいな若いコの将来を台無しにしてしまった。もうこうなったら、オレは一生アッコのめんどうをみる。本当に申しわけない。どうか許してくれ」

「ちょっと待ってよ。私はそんなこと言ってないでしょう」

厚子は本当に驚いた。まさかこんなふうに展開していくとは思ってもみなかった。

「いや、あのおばはんは、オレの心をちゃんと見抜いたんだ。あのおばはんはオレより、オレの心がわかってたんだ」

その時ドアが開き、黒服の男が入ってきた。

「ご注文、お決まりでしたら……」

「やかましい、あっちへ行けっていってるべ」

大声で怒鳴った。早川はきょとんとする厚子の手を握る。一年近くつき合ったけれども、早川に手を握られたのは初めてだ。ごつごつしているかと思ったが、やわらかくなめらかだった。大きな指輪が掌《てのひら》にあたって痛い。

「オレはアッコにずうっと惚《ほ》れてた。この年になって、こんな気持ちになったのは初めてだ。さんざん女遊びしてたオレが、アッコ見て、もうこの女しかいないと思った。それがこんな風になって、アッコを傷ものにしてしまった。オレの責任だ。どうかオレに責任とらせてくれ。お願いだ、アッコ。もうこうなったからには、オレにすべてを任せてくれ」

早川の饒舌《じょうぜつ》は、永遠に続くかと思われるほどであった。

「オレはもう、どもなんねえほどアッコに惚れてんだべ。本当だ。年甲斐《がい》もなく、っていうのはこっだなことだなぁ、ってわかんだけんども、アッコのことを考えると、若い時みてえに体中がカッカッして、もうどもなんねえ」

意識的なのかどうかわからぬが、東北の訛《なま》りが次第に強くなる。ふだんはコミカルな要素を持って使われる早川の訛りだが、今はたとえようもなく誠実で優しい響きを持ち始めたから不思議だ。

「オレはもう、アッコが欲しくて、欲しくてたまんねえ。あのおばはんは、オレの気持ちがずうっとわかってた。そいでアッコにひでえことをした。オレのために、アッコがつらい思いしたと思うと、オレはもう、いてもたってもいらんねえべさ」

厚子の手をきつく握る。眼鏡の奥の目をしきりにしばたいているが、まさか泣いているわけではないだろう……。

厚子はふと我に返った。目の前にいる男とは、親子ほどに年が違う。しかも友人の母親の愛人として、今まで家族ぐるみでつき合ってきた相手なのだ。

「イヤだーっ」

厚子は手を握らせたまま、喉《のど》をのけぞらせて笑った。

「パパったら冗談はやめて。そんなことあり得るわけないでしょう。だってパパには、邦子さん以外にも、女の人がいっぱいいるじゃない。よく一緒にいる秘書だってそうだし、このあいだはどっかの美容師さんに、男の子生ませたばっかりなんでしょう」

「そりゃ違うべさ」

早川は大声を出した。

「みんなアッコの替わりだべさ。オレはアッコをどうしても諦《あきら》めなきゃなんねえって、いつも言いきかせてた。つらかったべ……。だからつい他の女に手を出した。だからみぃんなアッコの代用品だべさ」

秘書とは自分と知り合うずっと前から、そういう仲になっていたはずだ。かなりつじつまの合わぬ話なのであるが、アッコは奇妙に心が昂《たか》まってきた。五十を過ぎた、日本で何番めかの大金持ちという男が、こうして若者のように、厚子を求めているのだ。いや、若者のように、というのとは少し違う。彼らが厚子に求愛するのは、ごく自然なことだ。

けれども今、目の前にいる男は必死だ。握られている右手が痛い。今にも爪《つめ》を立てるのではないだろうか。それよりも目だ。やはり涙ぐんでいるように見える。目の縁がしっとりと潤《うる》んでいる。

「アッコ、頼む、おねげえだ。どうか笑うのだけはやめてくれ」

潤んでいる鋭い目が、こちらを射る。獲物《えもの》をぴたりと定めた老獪《ろうかい》な獣が見つめている。厚子はすぐに自分が襲いかかられて、頭からぼりぼり齧《かじ》られそうな気がする。

それも悪くないかもしれない……。

この男とつき合ったら、どんなことが起こるのだろうか。厚子は、これほど年がいって、これほど金持ちで、これほど悪そうな男とつき合ったことがない。わくわくするようなことが始まるだろう……。

もうひと押ししてくれないだろうか、と厚子が考えたとたん、早川は急に図々《ずうずう》しくなった。

「アッコはこんな爺《じい》さん嫌いだべさ。何とも思っちゃいねえかもしれん。だけどな、オレくらいアッコに惚れてる男はいねえ。オレは保証するべさ。もう頭がおかしくなるぐらい、アッコに惚れて、惚れて、惚れてんだべ。アッコと二人きりになれるのは、府中に行く時だけだけんども、オレがあの時どんだけ嬉《うれ》しかったかわかるか？　アッコがすぐ隣りにいて、一緒にオレの馬見ててくれる。本当に幸せだったべさ。な、アッコ、オレは何でもしてやる。アッコの欲しいものは何でも買う。だからお願いだ、アッコ、オレに責任取らせてくれ。オレにアッコのめんどうをみさせてくれ。頼む」

厚子はもう一度大げさに笑おうと思った。しかしそうしなかったのは、今そうするとあまりにも芝居じみていると思ったからだ。女が危険を察し、男をはぐらかそうとしている高笑い。もうそれをしなくてもいいような気がした。

早川の顔が近づく。唇を重ねる。煙草《たばこ》を吸わない早川の口腔《こうこう》は清潔で、中年独特の口臭もなかった。

これならば……と厚子は思う。愛することは無理だとしても、受け容《い》れることは出来そうであった。

早川はこのキスを承諾の証拠と受け取ったらしい。

「ありがと、ありがとなあ、アッコ」

なんとハラハラと涙を流したのである。両の手で握っていた厚子の右手をおしいただくようにする。そしてそこにも口づけした。

「アッコ、アッコ、本当にありがとう」

そして、いきなりドアに向かい、おーいと大声をあげた。先ほどのウェイターが顔を出す。

「おい、シャンパン、シャンパンだべさ。ここはシャンパン、確かたいしたもんを置いてねぇ、それも二種類しかなかったぞ。おい、外に行って買ってこい。ドン・ペリのロゼだ、ロゼだ、いちばん高いロゼだべさ。乾杯だ、乾杯するべさー」

「イヤだーっ」

その姿がおかしくて、厚子は今度は本気でけらけらと笑った。

早川と厚子との〝初夜〟は、それから一週間後であった。別に早川が、厚子を大切に思ったあまりではない。厚子が生理中だったからである。

これにあたって、早川はうきうきと計画を進めた。

「伊豆の別荘でいいか。またヘリを飛ばすべさ」

「あそこは、おばさんが何度も行ってるからやーだよー」

いつのまにか厚子も、邦子のことをおばさんと呼ぶようになっている。

「じゃ、熱海にすっか。蓬萊《ほうらい》でも、海石榴《つばき》でもアッコの好きな方でいいぞ」

「やだー、おじさんっぽいもの」

そんなわけで、初夜の床は、ごく平凡に赤プリのスイートとなった。この部屋に厚子は一度来たことがある。イヴの夜に、友人たちと貸し切って、パーティーをしたことがあるのだ。けれどもそのことを口にしたら、早川は露骨に嫌な顔をした。

「あそこの部屋はうんと高いんだぞ。そんな学生が借りられるわけないだろ」

「だからさ、そういうのが流行《はや》ってるんだってば。イヴの日は、みーんなどこかのスイート借りてパーティーするよ」

旧館のフランス料理店で食事をしている最中のことだ。早川は嬉しさのあまり、ここでもドン・ペリのロゼを一本抜いたほどである。いつものことであるが、早川はさほど飲まない。ほとんど厚子がたいらげてしまった。

「次はどういたしましょうか」

胸にバッジをつけた男が、慇懃《いんぎん》に問うてくる。ソムリエというらしい。酒のことはこの人に聞くのだと、厚子はワインの好きな男から教わった。

「じゃ、赤をもらおうかな」

「どういうタイプがお好みですか」

男は厚子に向けてワインリストを拡《ひろ》げる。ロマネ・コンティ、ロートシルト、マルゴー、ふつうのサラリーマンの月収ほどの金額が、その後ろに記されていた。

「何でも頼め、何でも飲め。いちばん高いのを頼め」

早川が歌うように言う。厚子は笑い出し、ソムリエも苦笑した。結局、マルゴーのそう古くないものにしたのであるが、三万四千円という値段がついていた。

「すごくおいしい」

グラスにあるものを口に含む。ソムリエもウェイターも去り、自分の喉元から胸に続く肌を、早川が強いまなざしで見つめているのがわかる。

「パパももっと飲みなよ。これってすごくおいしいよ」

「いや、オレはもう飲まね」

「どうして。もったいないじゃない」

「だってオレは、さっきから胸がドキドキして、とてもメシどころじゃねえべさ。それに、酒なんか飲んで、肝心の時にあそこが使いもんになんねかったらどうすべえって。もうダメだ、オレは……本当にしんぺえでしんぺえで胸がドキドキするべ」

テーブルにつっぷす真似《まね》をする早川がおかしくて、厚子は吹き出した。

「やだー、バッカみたい」

「いや、アッコが男だったら、オレのこの気持ちわかるべさ。男が本当に惚れた女とする時は勃《た》たねえことがあるんだわ」

「じゃ、いいよ。今日はおいしいもの食べてこのまま帰ろ」

「馬鹿《ばか》なことぬかすでねえ。そだなこと言ったら、オレは気絶しちまうでねえか」

早川のような年頃の男を可愛《かわい》い、などと思ったのは初めてだ。けれどもそう感じたのだから仕方ない。

食事が終わり、二人で渡り廊下を使って新館へ行く。厚子は先月早川から買ってもらった、アライアのワンピースを着ている。「ボディ・コンシャス」という言葉を日本にもたらしたここの服は、着る人をとことん選ぶ。プロポーションがよくないことには、全く似合わない服なのだ。背が高く、手足はほっそりしているくせに、厚子の胸はとても大きい。今の世の中では、胸が大きいことは下品とされているから、はっきりと見せることは出来ない。けれどもアライアの服を着ると、ウエストのくびれと胸の豊かさが強調されることになった。まるで水着を着ているかと思うほど、あちこちがあらわになる。

が、それを恥ずかしいと思う女は、アライアを着てはいけないのだ。胸を張り、まっすぐに歩き、たくさんの視線と賞賛とを受け止めなくてはならない。

人通りの少なくなったホテルの渡り廊下で、厚子は大層目立った。酔ってとても楽しい気分になっているから、早川と腕を組んでいる。もう逃すまいとするように、早川は、腕を組んでいるのとは別の手で厚子の腕をつかんでいる。厚子はシャルル・ジョルダンを履いている。頭半分ほど、早川の方が小さい。

華やかな若い女と、もっさりとした中年の男とが、赤プリを歩いていたら、どういう関係なのか誰の目にもあきらかだろう。最近やたら増えている、成金の男とそれに目がくらんだ馬鹿な女。

例外なくすれ違う男は羨望《せんぼう》の視線を、そして女たちは反発と軽蔑《けいべつ》の視線を、早川と厚子にかわるがわる投げかけていく。おそらく早川とつき合うということは、こういう視線を嫌というほど浴びることなのだろう。そのくらい厚子にもわかる。仕方ない。もう後戻りは出来ない。

時々そういうことをする女の子がいるけれど、ホテルまで来て逃げるような卑怯《ひきょう》なことを厚子は今までしたことはなかった。

エレベーターに乗る。早川は無言だ。ただ組んだ腕がきつくなった。

ドアを開ける。赤プリ独得の青いカーペットが拡がっている。このホテルが女の子たちに人気があるのは、海をイメージしている内装がしゃれているのと、夜景が素晴らしいからだ。しかしカーテンを開けることはなかった。厚子は手をひっぱられ、奥の部屋へと連れていかれる。そこはベッドルームで、キングサイズのベッドが置かれていた。

厚子はそこに押し倒される。中肉中背の早川が、渾身《こんしん》の力を込めた、という感じで、どさりと、厚子を組み伏せる。長く粘っこいキスが続いた。そして右手は素早く動き始める。

「ちょっと待ってよ。シャワーくらい浴びさせてよ」

やっと唇が離れ、厚子は言った。

「シャワーなんかいいべ」

早川は怒鳴る。

「アッコのいいにおいを、シャワーで流すことはねえ。もお、オレさ、待ち切れねえ」

わざと東北弁で言って、厚子にのしかかってきた。しかし、右手が忙しく動くわりには、あちこちさまよっている。

「これ、どこをどうすんだ。おい、どうなってんだ！」

「ここのところにジッパーがあるじゃない」

アライアの服は、着ている時は男たちに大好評であるが、脱がせるとなると話は別だ。あまりにも体にぴったりしているため、脱がすのに大変な技術と経験を要するのだ。


案の定、早川はジッパーはおろしたものの、ウエストのところで布がひっかかってしまった。

「何だ、これは。アッコ、わざとこんなもん着てんのか」

ふざけてはいるが、声は苛立《いらだ》っていた。最後の最後に、こんな難関が待っていようとは思ってもみなかったに違いない。


そしてワンピースを、やっと足首までおろした。そして早川は「おお」と叫び声を上げる。あたり前だ。厚子が下着だけで横たわっている。ハーフカップのブラジャーから見える乳房は、水平に寝ていても豊かに盛り上がっているはずだ。そしてウエストのくびれも、太ももの白さも見えている。早川が感嘆の声を上げても不思議ではない。厚子は勝ち誇ったような気分になる。服という包装紙をとくと、さらに美しく魅力的な女が出現するのだ。

ところが、彼は奇妙な行動をとる。厚子はベッドの端に座らされた。早川は厚子の脚を大きく拡げ、そしてその前にべったりと土下座した。

「ありがてえ」

厚子のショーツをはいた脚の間に向かって拍手《かしわで》をうつ。

「ありがてえ、ありがてえ。やっと夢がかないました」

「やっだあ、おかしい」

厚子はのけぞって笑い、おそらくこの男とつき合うというのは、こうして馬鹿笑いをすることなのだろうと予想する。

6

早川佐吉という男について、厚子にはわかったことが二つある。

ひとつは早川佐吉の評判が、あまりにも悪いことであった。

ふたりがつき合うようになった次の年、彼の会社は長谷川工務店、信越化学、大日本製薬という大企業を抜いて、企業の長者番付三位に躍り出た。けれども財界人扱いする者などひとりもいない。陰で暴力団と手を組み、「地上げ」という虚業によって、巨万の富をせしめた男。これが世間のおおかたの評価だったろう。

相変わらず週刊誌や写真週刊誌をにぎわせているが、たいていが馬や女をからめての揶揄《やゆ》混じりだ。このところ邦子がやたらマスコミに登場してきた。

「あれほど真心を捧《ささ》げてきたのに、早川に裏切られた」

とあちこちの週刊誌で喋《しゃべ》っている。

結婚を前提に同居をしていたのだけれども、早川のあまりの女癖の悪さに、心底呆《あき》れてしまった。自分の秘書を愛人にしているだけでなく、ホステスや芸者など複数にわたる。自分のホテルの美容師に子どもを生ませたこともある。それだけでも言語道断なのに、私がもうこれは駄目だと思ったのは、娘の大学の同級生に手をつけたことだ。私はこの同級生のことをアッコと呼び、家にも招《よ》んで大層可愛がっていたのに、いわば飼い犬に手を噛《か》まれたようなことになってしまった。このアッコというのが、まだ二十歳だというのにとんでもない女で、そりゃうまく早川をたぶらかしてしまった。銀座でカマキリママだの、男をとことん食いつくす、などと悪口を言われている私だけれども、あのアッコという女にはとうていかなわない……。

このような内容の記事を何度見たことだろう。厚子は邦子の娘の後輩になるわけだが、いつのまにか同級生になっている。その方が印象が強いからに違いない。厚子を

「愛人」として、早川に送り込もうとしたことなど、すっかり忘れてしまったようだ。

いつのまにか「アッコ」、「アッコちゃん」という名前はひとり歩きして、新聞や中吊《づ》りの、週刊誌の広告の見出しにも出るようになった。それどころか、幾つかの週刊誌は、厚子の本名と顔写真をはっきりと出した。隠し撮りされたものではなく、モデルクラブで使っているプロフィールだったから、もはや隠すことは出来なくなった。短大の担当教授や教務課主任に「本当なのか」と問われたので、「本当です」と答え大騒ぎになった。学長のところへ行き説明しろなどと言い出したので、すっかり嫌気がさし退学届を出したのはつい最近のことだ。

もうひとつわかったことは、世間というのは、大金持ちの男とつき合う若い女を許さないということだ。早川は邦子の籍を入れていなかった。言ってみれば独身の男と女とがつき合っているわけであるが、そんな風に見てくれる者はただのひとりもいない。厚子のまわりでは、金持ちの男の愛人になった若い女はいくらでもいる。スチュワーデスをしている仲間から聞いた話では、ニューヨークやヨーロッパ行きの便の、ファーストクラスの席はそういうカップルで埋まっているという。富を手に入れたら、次は若く美しい女、というのはごくあたり前の行為なのだ。そして彼女たちを喜ばせるために、男たちは途方もない金を遣う。日比谷の帝国ホテルインペリアルタワーのシャネルブティックは、人気のものがいつも品切れ状態だから、女たちは男と一緒に、ニューヨークやパリへと「買い出し」に精を出すのだ。

　遊び仲間のひとりに、あまり売れていないモデル兼タレントの女がいる。ハーフだから顔の美しさもプロポーションも抜群なのであるが、全くもってパッとしない。しかし今では売れていないことが幸いして、大っぴらに金持ちの愛人をしていられるのだ。彼女はこのあいだその彼と一緒に京都に遊び、一流旅館に泊まってお茶屋や料亭へ行った。が、それだけでは「辛気くさくなった」ので、帰りは大阪ロイヤルホテルの地下アーケードで買物をしたそうだ。海外の高級ブティックを一堂に集めたあそこで、金を遣うことくらいたやすいことはない。三時間あまりで、彼女はざっと四百万の買物をした……。

　まわりではこのようなエピソードがいくらでも起こっているのに、相手の男が早川のような有名人となると話は別らしい。まわりの、厚子を見る目がはっきりと変わってきた。

「金のために何でもする女」

　と彼らは目くばせするのだ。

　そして最悪のことが起こった。週刊誌の記者たちは、あれこれ書き立てるだけでなく、直接厚子の家に取材に来たのだ。義父の進に週刊誌の記事をつきつけ、「これは本当なのか」と迫ったのである。おかげで厚子は、生まれて初めて人に殴られた。「売女《ばいた》」と怒鳴られ、何の意味かわからなかったのであるが、後で聞くと売春婦のことだという。あの時、勘が働いたといおうか、殴られた直後、頰を押さえながら叫んだ。

「だけどお金なんかもらってないよ。書かれてるみたいに、いろんなものも買ってもらってないよ」

「だったら、なんであんな下品な五十男とつき合うんだ。え、どうしてなんだ」

そう言われても困ってしまう。ベッドの上の早川がどれほど優しく、その前後にどれほど厚子を笑わせてくれるか、義父に言うわけにはいかないからだ。

義父に殴られた話をすると、早川が部屋を借りてくれた。神宮外苑《がいえん》の近くの2LDKのマンションだ。早川興産の子会社の、そのまた子会社が持っていたもので、すぐに入居出来たがそう豪華なものではない。厚子のまわりでは、男たちが投資用に買った広尾のガーデンヒルズに、女たちを住まわせるのが流行《はや》っていた。

「都心でサラリーマンが買える最後の物件」

ということで、ガーデンヒルズは建てられ、当初は五、六千万の部屋が多く、抽選という方式がとられていた。それが当選した者の手に渡ったとたん、投機の対象とされたのだ。五千万の物件があっという間に一億を越し、今では二億、三億を越すものも珍しくない。例のハーフのモデルも最近ここのいちばん豪華な棟に移ったので、厚子は羨《うらやま》しい。

「このマンションって、ちょっと所帯じみてるよ。入り口にベビーカーなんか置いてあるんだもの」

早川に抗議したところ、

「仕方ない。こんな時だからまた週刊誌がうるさい。しばらくはここで我慢してくれ」

と、なだめられた。

「あのおばはんにはたまらん。とうとう弁護士をつけてきたべさ」

「えー、どうして。弁護士なんか」

「婚約不履行っていうことらしい。慰謝料と財産分与ってことで七百五十億円吹っかけてきた」

「七百五十億円！」

厚子は大声をあげた。自分は手にしていないものの、億という金の話には慣れっこになっている。が、七百五十億円というのは、あまりにも途方もない額だ。いったいどれほどのものか見当もつかない。

「あのおばはんと暮らしてやって、さんざん金を遣わされて、七百五十億円もねえべさ。こっちの弁護士は、話題づくりのために吹っかけてきたんだろうが、まあ大きく出たもんだと呆れてるべさ。あのおばはんは、マスコミの使い方知ってるから、また記者連中がわーって寄ってくると思ってるに違いねえ。まあ、とんでもねえ女にひっかかったもんだ」

「仕方ないじゃない。あの頃はおばさんのこと、好きだったんでしょう」

「仕方ねえべさ。そん時は、オレの前《めえ》にまだアッコが現れてねかったんだからな」

早川は強く厚子をひき寄せる。唇を吸う。その激しさの中に、厚子は切実なものを感じ取り、それは大層彼女を満足させる。日本で三番目に金持ちの五十男が、これほどまでに強く自分のことを求めているのだ。このところしょっちゅう週刊誌に出てくる、とんでもない悪女「アッコちゃん」は私なのだ。「アッコちゃん」が自分のことだと思うと、とても不思議な気分になる。心と体がふわふわして、お芝居をしているような感じだ。こうして男に胸をさわられ、スカートをめくられているのもお芝居……。

「やめてよ、パパ。昼間っから、もお、スケベなんだから」

わざと抗《あらが》ってみせるのもお芝居。だからとても楽しい。何でも出来る。

「アッコ、お前はオレの夢だべさ。お前は不思議な女だ。お前と一緒にいると、世の中生きていくのはどうってこともねえ。たいしたことじゃねえ。楽しく生きてけりゃそれだけでいいって思わせてくれるんだ。お前を手に入れるために、今までオレは生きてたんだ。お前という女に出会うために、オレは東京さ出てきて、働きに働いたんだ。アッコこそ、神さまがオレにくれた褒美《ほうび》なんだべさ。だからオレは、アッコを離さねえ。絶対にどんなことがあっても離さねえ……」

こういう仲になってわかったのであるが、早川は驚くほどロマンチストである。そうした愛の言葉は、東北弁でささやかれる。最初厚子は笑いころげていたのであるが、今ではそれほどでもない。くすくすしのび笑いをするくらいだ。そして笑っている間に、厚子はとらえられ、倒され、服を脱がされ、体をひろげられていく。

「これ、笑うでねえ」

早川は叱《しか》るふりをする。

「いいことする最中に、お前みてえに笑いころげる女子《おなご》は見たことねえ。オレを馬鹿にしてるだか」

この男を愛しているのかどうか、まだよくわからない。しかしとても楽しくて面白いことだけは確かだ。厚子は珍しく照れている。こんなに年の離れた風采《ふうさい》の上がらぬ男に、惹《ひ》きつけられてしまったことが、ちょっと恥ずかしい。だから厚子は笑わずにはいられないのだ。

そして早川は厚子の笑いを止めようと必死になる。厚子の笑い声はやがて別の声に変わっていく。

流行の言葉でいえば、厚子は「プッツン」したらしい。友人たちは言う。

「本当にいったいどうしちゃったの」

毎晩のように遊び場に来ていた厚子が、このところマンションから出てこない。早川が厚子の夜遊びを好まないからだ。このところ彼は、成城の家に帰らず、外苑のマンションで寝泊まりしている。夜そう遅くならずに帰ってきて、厚子のつくった夕食を食べる。料理など興味がなかったのに、早川との二人の食事はままごとめいていて面白い。そうはいってもたいしたものをつくるわけでなく、早川の買ってきた干物《ひもの》を焼いたり、牛肉ですき焼きをしたりする。東北の貧しい育ちである早川は、食べるものには無頓着《むとんちゃく》だ。ただ炊《た》きたての飯さえあればいいと言う。帰ってくると上はすべて脱いでシャツ姿になった。そして、カキの種を齧《かじ》りながら、ビールを一杯だけ飲む。

「やだー、まるっきりおじさんだよ」

「何言ってんだ。ここは極楽だ。ああ、本当に極楽だべさ」

早川は一間だけある日本間で、ごろりと横になる。厚子はこんな風にだらしない男の姿を見るのは初めてだ。義父の進も、別れた父親も、くつろぐ時ここまではしなかった。厚子は無防備の男の姿が珍しい。

「ビールうめえな。アッコめんこいしな。巨人は勝ってるしよ、もう極楽だ。もうこれ以上欲しいものは何もねえな」

「うそばっかり」

厚子は、横になっている男の上に、ふざけて覆《おお》いかぶさってみる。

「湾岸の土地を、二、三万坪欲しいな、って昨日言ったばっかりじゃない」

「ああ、だけんどあんなものはもうどうでもいい。アッコさえいてくれりゃいい」

「私は、欲しいもの、いろいろあるけどな」

冗談のようにして口に出したが、これは厚子の本音だ。一緒に暮らすようになってすぐ、早川は腕時計を買ってくれた。ショパールの女もののそれは五百万以上する。が、それで終わってしまった。厚子は皆が噂《うわさ》しているように、洋服も、バッグも買ってもらってはいない。厚子はそれほどブランド品が好きというわけではないが、厚子のまわりの女たちの戦利品は、日々多く、高価になっていっている。それなのに、いちばん美しく、いちばんモテた厚子が何も獲得出来ない、ということはないだろう。

「何を言ってんだ」

この時、早川がむっくりと起き上がった。かすかな酔いでぼんやりしていた顔が、別人のような厳しさだ。

「オレとアッコは、そんな仲じゃねえべさ。な、そうだべ。アッコは他の女みてえに、金を欲しがんねえはずだ。な、そうだべ」

どうやら早川は、邦子とのことでかなりまいっているようだ。邦子が要求した七百五十億円という金額は、マスコミの格好の餌食《えじき》となった。早川が女性に強い不信感を抱いても仕方ない。

「な、な、アッコ、金めあての女でねえべな。オレはアッコのこと信じてっからな」

そのとおりだと言うと嘘《うそ》になるから黙っている。

厚子は別に金が欲しいわけではなかった。けれども金に替わる大切なものを、まだ早川からもらっていない。それならばせめて何か形にしてもらわなくてはと思う。シヨパールの時計では、とても物足りなかった。

一ヶ月ももたないだろうと噂された早川との暮らしが、三ヶ月、四ヶ月と過ぎた。その間にふたりは新しい年を迎えたのであるが、これといって正月らしい行事は何もなかった。

最近話題の、熱海や湯河原の贅沢《ぜいたく》な温泉をねだったものの、

「そんなところへ行けば、また週刊誌の奴《やつ》らが何か書くべさ」

早川ににべもなく却下されたのである。仕方なく義父の留守に実家へ帰り、母とおせち料理の残りを食べた。今でもマスコミの人間が時々やってきて、厚子の動向を調べていくと母はこぼす。

「青山にお城のような洋館買ってもらって、そこに住まわせてもらっている、っていう人もいたわよ」

「バカバカしい、あそこは横井英樹《よこいひでき》っていう人の、お妾《めかけ》さんが住んでいたうちよ。今は会員制のクラブになってるのよ」

「1999」というクラブには何度も行った。地下にプールがある豪壮な邸《やしき》だ。が、少し前までは若い女が住む妾宅《しょうたく》だったのである。同じような立場でありながら、どうしてこれほどまでに違うものだろうかと、厚子はため息をつく。

早川がこれほど吝嗇《りんしょく》な男だとは想像もしていなかった。邦子には十億単位の金を平気で遣っていた早川が、ろくにものも買ってくれない。そして、

「アッコは、あんな強欲ババアとは違う」

というのが口癖だ。ある時、酒に弱い早川が、酔って何度も同じ言葉を繰り返した。

「オレとアッコは、金の仲でねえべさ。オレは本気でアッコに惚《ほ》れてんだ。アッコもオレのこと、金めあてでねえべな。他の女みてえに、オレのこと、金で近づいてるわけでねえべな」

まるで子どものように、厚子の胸に顔を押しつけてきた。早川の髪は太くてこわい。ちりちりと厚子の顎《あご》を刺す。すると厚子はなんともいえぬやさしい気持ちに包まれるのだ。けれどもそれにすべてをゆだねるのは、しゃくだった。

「お金めあてじゃないけど、もっとよくしてもらってもいいと思うけど」

半分冗談めかして言う。

「そったらこと言うでねえ」

早川が顔を上げた。目が赤く光っている。

「若い娘が、金、金なんて言うでねえ」

「だってさ、私のまわり見てるとすごいよ。外国連れていってもらうのなんてあたり

前だし、マンション買ってもらうコだっているよ」

「アッコはそんな女でねえ」

唇で唇をふさがれた。厚子にはもうなじみ深いものとなった唇だ。中の舌や唾《つば》の温度、粘り気も記憶出来るほどになっている。そうして唇を吸われながら、厚子は近いうちに、この唇の感触を懐《なつ》かしく思い出すことになるだろうなあと考えた。

「アッコ、好きだ、好きだ。オレがこんなに女に惚れたのは、アッコが初めてだべさ」

一緒に暮らすようになってから、早川はますます厚子に執着するようになった。それは厚子の肉体ではなく、むしろ心に対して粘っこい欲望を見せる。夜、体を重ねている最中も、一緒にテレビを見ている時にも、不意に質問が浴びせられる。

「アッコは、オレのことが好きか」

「好きなんじゃないの、たぶん」

厚子はめんどうくさげに答える。五十を過ぎた男が、どうしてこんなことを問うてくるのだろう。自分のことが好きか、などと質問するのは、十代の少女がすることではないだろうか。

「パパって、今までだって奥さんも恋人もいたんでしょう。そういう人たちって、パパのこと何て言ってたの。みんな、好きだって言ってたんじゃないの」

　やや皮肉混じりに、こちらから質問したことがある。

「オレはな、十五の年に山形から東京さ出てきた。今の世の中で、中卒の田舎者が女にモテるわけなんかねえべさ。新宿へ渋谷へ遊びに行くと、アベックなんか見るわけさ。あれはつらかったなあ。オレみたいな者に惚れてくれる女なんか、この世にいねえと思って悲しかったなあ……。死んだカアちゃんとも、オレが会社興して、まあまあになってからのことだ。女っていうのはなあ、金がねえ男なんか相手にしねえなあ。男で金がねえのは首がねえのと同じだって誰かが言ってたけど、それは正しいなあ。だけどなあ、正しくたってなあ、やっぱり淋《さび》しいよなあ。アッコは、オレが初めて本気で惚れた女だべさ。どうかオレを淋しくさせねえようにしてけろ。おねげえだ」

　そう言われると厚子は何も言えなくなってしまう。

　早川は毎月決まった額の金を手渡してくれる。が、それは都会で贅沢に暮らせるものではない。

「家賃も水道代も、必要なもんはみーんなオレが払ってる。欲しいものがあったら言えばいいべさ」

　しかし欲しいものが容易に口に出せない状況を、早川はうまくつくり出してしまったのだ。

そして厚子にはわかったことがある。吝嗇と嫉妬《しっと》とは正比例するということだ。早川と暮らすために、厚子がしばらくひき籠《こも》っていた間、東京はどんどん面白いことになっていた。会員制のクラブが続々オープンして、選ばれた人間だけが遊べるスペースが増えた。空間プロデューサーという人たちが、ディスコやレストランに凝った仕掛けをしていく。中でも変わったのが東京湾だ。夜は真暗になる何もない倉庫街に、いくつものディスコやカフェがオープンした。海の夜景を見ながら、食べたり踊ったりするのはみんな初めての経験だから、毎晩大変なにぎわいだという。

そして女の子たちに意外な人気があるのが、料亭「胡蝶《こちょう》」で、最初に行くと誰もが度肝を抜かれる。有楽町のビルの地下に、森が拡《ひろ》がり、その中に離れの座敷が点在する。東京の夜は、こんな途方もない空間をつくり出したのだ。

「カラオケもすっごく楽しいよ」

と遊び仲間は言う。今までカラオケというと、野暮ったいスナックで歌わなければならなかったのに、この頃はしゃれたレストランのような店が増えた。黒服のいい男たちが、合いの手にタンバリンを叩《たた》いてくれたりする。

そういう話を聞くと、厚子は居ても立ってもいられなくなり、夜の街に飛び出すようになった。

「アッコって、『地上げの帝王』と暮らしてるんだって」

何人かに聞かれた。みんな早川の名は知らなくても「地上げの帝王」という名称は、面白がってやたら使うのだ。

「すっごい大金持ちだっていうじゃない」

「アッコ、パリに遊びに行って、当分帰ってこないって噂だったよ」

「冗談でしょ」

厚子はふんと笑った。照れもあって、つい偽悪的になっていくのがわかる。

「ボロいマンションで、ずうっとおさんどんやらされてたわよ」

「冗談でしょ」

皆は笑った。誰が買ってくれるのかわからないが、彼女たちの服や身のまわりは、ますます金目のものになっているようだ。いつのまにか国産を着ていた子がアルマーニやフェレになっている。毛皮のコートを羽織っている子も何人かいた。

今の日本は、金が地からいくらでも湧《わ》いてくるようだ。ふつうのサラリーマンも、余っている金があってマネーゲームに出る。このあいだNTT株が、初めて売り出されたが、その騒ぎといったらなかった。みんなが殺到し、二十万程度で買ったものが、初日には値がつかず、二日目にやっとストップ高の百六十万円という値がついた。それどころか二週間後には二百四十万円になった。ちょっとこまめに頭と体を動かせば、ふつうの人間でもたちまち大金を手にすることが出来るのだ。

そのため敷居が高いことで知られるディスコにも、ひどいレベルの男や女が目につく。「花キン」などといってはしゃいでいる連中だ。

「なに、あれ」

「ここをさ、新宿と間違えてるんじゃないの」

早々にVIPルームに引き揚げた。ここはやはりとても楽しい場所だ。まわりは知っている顔ばかりで、厚子を見ると、

「やあ、久しぶり」

と声をかけてくれる。けれども中にひとり、厚子を見ると立ち上がる男がいる。松《まつ》崎《ざき》といって不動産会社の社長だ。最近儲《もう》けに儲けて、自分でレーシングチームを持っている。レースクイーンとひと目でわかる女を、とっかえひっかえ店に連れてくるが、厚子のことは昔から可愛《かわい》がってくれた。踊った後、深夜までやっている店でよくご馳《ち》走《そう》してくれたものだ。けれどもその松崎が、厚子を見てあからさまに嫌な顔をした。おそらく早川と、土地がらみで何かあったに違いない。同棲《どうせい》によって、厚子は「早川

の女」というラベルを、しっかり貼《は》られたようだ。

厚子はつとめて気にしないようにした。あれだけ有名な男とつき合ってしまったのだ。いろいろ言われるのは仕方ないことだろう……。

その時、黒服の男が電話を運んできた。

「アッコさん、お電話です」

この店では、出まわり始めたハンディタイプの携帯電話を使っているので、まわりの者たちも珍しげに厚子の手元を覗《のぞ》き込む。

「いったい誰なのかしら」

自分がこの店にいることを知っている人間など、今さっき帰った松崎ぐらいだが、まさかあの男から電話がかかってくるはずはない。厚子は携帯を手にとった。ずっしりと手に重たい。

「ああ、アッコか」

ひどく不機嫌な早川の声であった。

「オレが帰ったら、家にいねえでねえか。いい若い女が、こんな時間にどこをふらつきまわってんだ」

厚子は呆然《ぼうぜん》とした。

「どうして、ここがわかったの……」

「六本木のディスコ、っていうとこを電話帳で調べて、端から電話しただ。ここは十一軒めだ。客の呼び出しはしねえって言ったんだけどもな、北原《きたはら》厚子さんおねげえしますって言ったら、ああアッコさんですね、見てきますよ、って言ってくれたんだ」

「冗談じゃないわよ」

厚子は叫んだ。久しぶりの夜遊びだったのに、どうしてこんな目に遭わなければいけないのだろうかと腹が立った。

「私、ちゃんとメモを残してたでしょう。友だちと会いに行ってきますって。それでいいじゃない。何か悪いわけ」

「アッコ、そこに男がいるべさ」

「そりゃいるわよ。踊るとこだもの」

「なして他の男と踊ったりすんだ。オレという者がいながら、なして男と遊んだりすんだ」

怒気を含んだ早川の声が、遠ざかったり、雑音が入ったりする。おそらく車の中からかけているに違いない。早川も最近、自動車電話という高価な器具をとりつけたばかりなのだ。

「いま、お前、どこにいんだ。すぐに迎えにいくから居場所教えれ」

「冗談じゃないわよ。ほっといてよ」

「交差点右に曲がった店だべ。店員に聞いてみればすぐにわかることだ」

「いいわよ。迎えに来なくても。今すぐタクシーで帰るから」

叩きつけるように携帯を置いた。顔を上げるとみんながニヤニヤしてこちらを見ている。

「すごいじゃん、アッコ。愛されてるじゃん」

「もう一刻たりとも離れたくないんだね」

ほっといてよと厚子は言って店を出た。店の階段を上がっていくと、外はいつのまにか雨が降っていた。雪に変わりそうな冷たい雨だ。

「アッコさん、傘を持ってますか」

黒服が寄ってきた。

「大丈夫、そこで車を拾うから」

「この時間じゃ無理ですよ」

「そこの裏道から、よく空車が来るから平気」

時計を見る。遊び始めた頃、おかしな電話がかかってきたのでまだ九時半だ。六本木通りに出ようと角を曲がった時、厚子は見慣れたロールスロイスが停まっているのを見た。いつもの運転手でなく、運転席に早川が座っている。厚子は何も言わず扉を開けた。助手席ではなく後ろの席に座った。

「早く行ってよ」

ヒールの踵《かかと》で運転席のシートを蹴《け》った。

「もうイヤになっちゃうわよ。せっかく人が楽しんでるのにさ」

早川は何も言わない。黙って車を運転している。昔タクシーの運転手をしたこともある彼の運転は、とても慎重だ。何度も早めに停まった。

雨の中、ワイパーだけがさわがしい。早川が一言も発しないのが不気味だった。沈黙に耐えきれず厚子は叫ぶ。

「私がいったい何をしたのよ。久しぶりにちょっと遊びに行っただけじゃないの」

「お前《めえ》はオレの女だ」

ミラーの早川の目がこちらをじっと見ている。

「勝手な真似《まね》は許さねえ」

「ご冗談でしょ。私は私よ。どうして遊びに行っちゃいけないのよ」

叫んでも反応がない。やりきれなさに、厚子は舌うちしたくなる。もしかすると自分は、大変な間違いをしでかしたのではないだろうか？

しばらく遊び場から遠ざかっている間に、メンバーが入れ替わっていた。いちばん羽ぶりのいいのが不動産屋、というのは変わりないが、これにＤＣブランドの社長たちが加わるようになった。ファッションというのは、一発あたるといくらでもお金が入ってくるものらしい。今いちばん人気があるのは、パーソンズというブランドで、ここの洋服やバッグを、若者たちが争うようにして買っていく。原宿の小さな店で売っていたのだが、今では全国展開し、大きな企業になっている。ここの社長はセンスがよく、外苑のビクタースタジオの近くに、とても素敵なイタリアンレストランをつくった。パリの建築家が設計して、店の半分は大階段が占めている。信じられないくらいの大きさと広さを持つ階段だ。客のテーブルはその下に並べられている。男たちは、ピンヒールの美しい脚を見せながら降りてくる女たちを眺めながら、ゆっくりと食前酒を飲む仕掛けだ。

このイタリアンレストランのあるビルの屋上は、プールになっている。いずれ会員制にして、都会の選ばれた者たちが、東京の夜景を見ながらプールサイドに寝そべることになるだろう。

パーソンズほど成功しなくても、名の知れたブランドを立ち上げた者たちは何人もいる。みんな若く、格好のいい男たちだ。彼らは知り合うやいなや「アッコ、アッコ」と親しく呼び、競うようにして金を遣ってくれる。どうやらマスコミにやたら登場した「アッコちゃん」というのは、六本木の夜の街でヒロインとなっているようだ。早川の愛人となったことで、親や学校からは排除されたが、この遊び場では厚子は夜な夜な讃《たた》えられるようになった。

「あのおじさんをメロメロにした女」

と言われているらしい。この頃新聞で「地上げ」の字を見ない日はない。あまりの地価高騰で、東京の古い町並が次々と消えていくのだ。住民たちが都心の古い家を捨て、大金を持って郊外に越していく。その際には「地上げ屋」が大活躍し、ごねている住民たちをうまく説得したり、それでうまくいかない時は、法に触れぬ程度に脅していく。そういう地上げ屋が巨万の富を手に入れていることは知っていたが、まさか日本で三番めの金持ちになるとは誰も思っていなかった。今や早川は表社会に出てきたらしい。暴力団どころか、力ある政治家とも親交を持つようになった。大手の銀行は昔から自分の手は絶対に汚さないが、早川の力は認めている。金はたっぷり流れるようにして、土地がどう動くかを見守っている最中だ。とにかく早川は、たいした男らしい。その男が惚《ほ》れて惚れて、惚れ抜いているのが、二十二歳になったばかりの若い女なのだ。いったいどんな魅力があるのか。それほどいい女なのか……。気がつくと男たちが三重にも四重にも厚子をとりまいている。昔からもてないことはなかったが、このもてはやされ方はふつうではない。

「そういうのって、怖いもの見たさ、っていうんじゃないの」

親友の奈美がくすくす笑う。彼女はあの歌手とまだつき合っている。ライブハウスでぼちぼち人気が出てきたといっても、テレビに出ることもないマイナーな歌手だ。

「チェッカーズぐらいの人気者になれればいいのにね」

と何気なく言ったところ、奈美に激怒された。

「冗談じゃないわ。あんなのロックでも何でもない。顔だってうちの彼の方がずっといいもの」

チェッカーズは、衣裳《いしょう》も歌も新しく、出す歌、出す歌みんなヒットしている。あといい男といったらやっぱり少年隊だ。かつての王者郷ひろみは六月に結婚し、人気がややいち段落というところかもしれない。相手は二谷友里恵《にたにゆりえ》といって、女優としてはそう売れなかったが、慶応卒ということと品のある美貌《びぼう》で、

「なまじの芸能人よりも価値が高い」

と芸能マスコミは報じた。

「いかにも郷ひろみっぽいよね」

厚子たちの間でも、寄るとさわるとその話だ。

「聖子と結婚すればよかったのにさ、やっぱりお嬢さまが好きなんだよね」

お嬢さまブームといわれて久しい。男たちが好きなのは、フェリスや聖心、川村、東洋英和、女学館といったところの遊び好きのお嬢さまたちだ。「JJ」の読者モデルとして活躍し、私物のブランド品をグラビアで見せびらかすような「お嬢さま」が、やはり夜の街でも幅をきかせている。ウエストをキリリと締めたボディコンの服を着て髪はワンレングス、そしてメンソールの煙草《たばこ》をふかす彼女たちを横目で見ながら、邦子はよくつぶやいていたものだ。

「どこがお嬢さまだか……。お嬢さまがこんなに夜遊びしてるもんですか。私が二十歳の頃には夜遊びなんか、とても許されなかったわよね」

そしてこうも言った。

「この頃はああいうシロウトが、クロウト顔負けのことをするんだからね。男にたかって、いろんなもの買わせて、それで何くわぬ顔をしてる。ああいうお嬢さまに比べれば、うちのホステスたちなんか、本当に純情そのものよ」

あの時〝シロウト〟に向けられた憎しみは、今、厚子ひとりに集中しているようだ。マスコミにあれこれ喋《しゃべ》るだけではない。いつのまにか外苑前のマンションを調べ上げられ、電話がかかってくるようになった。

「パパに何を買ってもらったの？　いっぱいいい思いをしてるみたいじゃないの」

猫撫《な》で声を出してきたかと思うと、

「こっちは裁判で大変なのよ、どうやらあなたが、私にはビタ一文出すなって言ってるらしいわね」

と、あきらかに脅しをかけてくることもある。

「アッコちゃん、私のことをそんなになめてかからない方がいいと思うわよ。うちのお客さんには、そういった方がいるのよ。もちろんチンピラなんかじゃなくって、大本を取り仕切っているすごい方よ。この方の号令で、いくらでも日本は動かせるような人。この方に頼めば、アッコちゃんがお嫁にいけないような体にしてもらうの、いくらでも出来るのよ。それでなくてもあんたなんか、一生まともな結婚出来ないんだからね」

厚子は受話器を持つ手が震えた。六本木には密《ひそ》かに語り継がれる話がいくつかある。その筋の男にさんざん貢《みつ》がせ、あっさりと振った女子大生が、暴力団に連れ去られ、三日間行方不明になった。西麻布の路上に置き去りにされた時は、あきらかに神経がやられていた……。

「そんなおばはんの脅しにのるんでねえよ。あそこの店に来るヤクザなんか、みんなオレの力でどうにでもなっから」

と早川は言うのであるが、厚子はすっかり怖《おじ》けづいてしまった。かかってくる電話を避けるために夜の街へ出かけるのだが、これがいつも言い争いの種になった。

男たちと遊ぶのもいいけれども、本当に心から楽しめるのは、仲のいい女友だちと遊んでいる時だ。みんなで飲みに行ったりカラオケに行き、そろそろ帰ろうかなと思う時に、男友だちのひとりを呼び出す。勘定をもってもらうのと、車で送ってもらうためだ。今、東京は十一時過ぎると、タクシーをつかまえるのが不可能になってくる。広告代理店や出版社など、マスコミの男がいる時は、秘密の電話番号でタクシーを呼び出してもらうのであるが、上得意だけが知りうるはずのこの番号は、すぐに流布《るふ》されることになるので、一ヶ月ごとに番号が変わる。するとかける者も混乱し、最新の番号がわからなくなってしまう。だから確実な男が何人も必要だった。家や事務所にいてすぐ自家用車を飛ばしてきてくれる男もいいが、最高なのは運転手つきのハイヤーや車を常に待たせておく男たちだ。

その夜、厚子たちのナイト役を買って出てくれたのは、かつて仲間うちの恋人だった、井上《いのうえ》という新興レコード会社の社長だ。彼は大手のレコード会社を退職し、インディーズ系ミュージシャン専門の会社をつくったところ、昨今のバンドブームのおかげでどれも大ヒットしているのだ。若き成功者として、このあいだも「ブルータス」で特集を組まれたくらいだ。有名建築家の建てた、コンクリートの要塞《ようさい》のような家に住んでいる。若禿《はげ》なのが難だが、ワイズのスーツが大層似合うしゃれた男だ。しかも都合いいことに、彼は酒が一滴も飲めない。けれども真夜中呼び出されても、にこにこと酒の席につき合い、女の子たちをひとりひとり送ってくれる。下の名前から「シローちゃん」と呼ばれている。三人めの元歌手の妻がいるのだが、いま二人の子育てに追われているのか、贅沢《ぜいたく》な生活に不満がないためか、夫の夜遊びに文句を言ったことはないそうだ。

この「2001年」という店は、シローちゃんと同じように、厚子たちの大のお気に入りだ。高級カラオケ店で、店の片隅には本格的な装置とステージが置かれている。黒服たちもハンサム揃《ぞろ》いだ。

この店は中森明菜が毎晩のように来ていることで知られていて、取り巻きをひき連れて飲んでいる彼女を厚子も何度も見ている。聖子と人気を二分する歌姫なのに、いつも淋《さび》し気で顔色が悪い。酒の飲み方が半端《はんぱ》でないのは、例の恋人のことをひきずっているからだろう。

その夜明菜は店に来ていなかったが、厚子と同じような年頃の、若い女たちのグループが来ていた。見たことがない顔ぶれだ。おそらく千葉や埼玉から流れてきた連中だろうと厚子は見当をつける。この頃、車を飛ばして遊びにやってくる者が多い。道が空《す》いていれば、千葉の市川から六本木まで二十分もかからないはずだ。やがて彼女たちがマイクを占領し始めたので、厚子のグループは面白くない。

「最近、田舎の人たちの方が、大切なお客になっているわけね」

黒服たちに嫌味を言い、シャンパンを空けた。どうせ井上が払ってくれるだろう。あの田舎者たちに、本当の遊び方を見せつけてやるつもりだ。

シャンパングラスを飲み干した時、隣りにいた奈美が突然肘《ひじ》をついた。「彼が来てるよ」

入口で黒服に、何か話しかけている早川の姿が見えた。厚子を見つけ、ずんずんとこちらに向かってくる。

「ウソーッ」

厚子が叫んだ。

「どうしてこんなところに来るのよ」

「別の店に電話したら、男が言ったべさ。アッコさん、この時間だったら『2001年』で歌ってるってさ」

「だからって、何も来ることないじゃないの」

怒りと驚きとで、自分の体が震えているのがわかる。今まで執拗《しつよう》に電話をかけてくることはあったが、こんな風に店に来るのは初めてだ。

「何言ってんだ。うちに帰ったらいねえでねえか。心配すんの、あたり前だろう」

「今日は北海道へ泊まるんじゃなかったの」

「急に気が変わったんだ。そしたらアッコがいねえ。オレはあわてて、いろんな店に電話したんだ」

さぞかしいい笑い者になっていることだろうと厚子は思う。厚子が常連になっているいくつかの店に、早川が電話をかけてくることはもうよく知られている。

「なあ、ニイちゃん。アッコいねえべか。アッコ、そのへんで踊っていねえかね」

仲間のひとりがふざけて物真似をしたぐらいだから、かなり拡《ひろ》まっているのだろう。

「ねえー、人が楽しくカラオケしてるんだから邪魔しないでくれる」

ついに厚子は立ち上がった。

「ちょっと夜、出かけるぐらいがそんなにいけないわけ……。友だちとカラオケするのがそんなにいけないわけ？」

「友だちだって言っても、男だっているだろ」

彼は井上を指さす。その不作法な態度に、厚子はすっかり呆《あき》れてしまった。が、早川はなおも続ける。

「友だちって言って、男を引き込む女がいるからな。全くアテにならねえべ」

「まあ、まあ、僕はそんなんじゃありませんよ」

井上が間に入った。

「このお嬢さんのお守り役と、運転手を仰《おお》せつかってるんです。悪いムシがつかないようにってことですね」

「アッコはお嬢さんじゃねえべさ」

唇がゆがみ、こんなに意地の悪い顔は初めてだと厚子は思った。早川はきっぱりと言う。

「オレの女だ」

「そりゃそうかもしれませんが、みんなでカラオケ楽しんでるんですから、ちょっと待っていてくれませんか」

井上も立ち上がっていた。

「こんな男がいるなら、もう二度と外に出さんぞ」

「ちょっとォ、いいかげんにして。もー、本当に怒るよ。頭にきた。あんたって最低！」

厚子は早川を睨《にら》みつけた。

「女がそんなことを言うもんでねえ」

早川がそれでもあたりをはばかって、声のトーンを落とした。例のグループが興味深げにこちらを見ている。

「とにかく一緒に帰るんだ。な、な、オレも今度から早く家に帰るから、あてつけに夜遊びに出かけんのはやめてくれ」

「私、あてつけで遊んでるんじゃないわよ。自分で行きたくって、本当に楽しいから出かけるのよ。自惚《うぬぼ》れないで」

自惚れないで、という言葉を発したとたん厚子はやっとわかった。そう、夜遊びや、他の男とのつき合いや、楽しいことをすべて犠牲にするほど、目の前の男を愛しているわけではない。男からたくさんのものを貰《もら》っているわけでもない。男が与えてくれたものは、わずかな宝石と、自分勝手な愛情だけだったではないか。本当に自分は損をしている。何度でも言いたい。私は損をしている。貧乏籤《くじ》をひいたんだ。

7

「東京じゅうに
億万長者が溢《あふ》れている
土地高騰《こうとう》はお伽話《とぎばなし》を産み落とした
東京と引き換えに
地球全部が買えそうだ
金持ちは素敵だと思いたい」
このあいだの「ブルータス」は「金持ち人類学」という特集をしていた。ヨットのアメリカズカップのチャレンジャーや、ヴィンテージカーの収集家が登場していた。その前ページに、このような文章が掲げられていたのを、厚子はよく憶《おぼ》えている。
ふだん「ブルータス」など読まないのに、ボーイフレンドのひとりから、
「僕が出ているから見て」

と電話がかかってきたのだ。

確かに東京中に金が溢れていた。ベントレーが売れまくっているし、ベンツのCクラスなど「港区のマークⅡ」と馬《ば》ベンツの「港区のマークⅡ」と馬《ば》鹿《か》にされている。この頃はちょっとおしゃれな者は、メルセデスの4WDを都会で走らせるのだ。

最近はワインが大流行で、東京で飲むことに飽き足らなくなった連中が、フランスのボルドーやボージョレー地方に出かけている。ツアーを組んで行き、ワイナリーへ行っていろいろ飲ませてもらうのだそうだ。

が、厚子はまだヨーロッパというところへ行ったことがない。この頃ふつうの大学生も「卒業旅行」といって、三月にパリやロンドンへ出かける。そして、ルイ・ヴィトンやシャネルの新製品を買ってくるのだ。

卒業旅行でなくても、厚子のまわりの女たちはたいていヨーロッパへ遊びに行く。親が金を出してくれる場合もあるが、たいていは金があり余っている男たちが難なく連れて行ってくれるのだ。

それなのに厚子といったらどうだろう。

早川と別れてそろそろ二ヶ月になろうとしていた。彼と別れたと聞いた時、多くの友人たちが驚いたものだ。

「よくあのおじさんと別れられたね」

早川がどれほど厚子に固執していたか、よく知っていた連中だ。同棲《どうせい》生活に飽きてすぐ夜遊びを始めた厚子を探して、六本木の盛り場に夜な夜な現れた姿をみなが目撃していた。厚子が別離を申し出ても、とてもあっさり引き退《さ》がるとは思えなかったのだ。

しかし厚子にとって運がよかったのは、早川に次々と災難がふりかかったことである。長者番付にのったのもつかの間、いやそれだから目をつけられたのかもしれないが、国土利用計画法という法律にひっかかったのだ。もうじき都庁が建設されることになっている西新宿に早川は五千平方メートルの土地を取得した。一時期は一坪三千五百万まではね上がったこの土地によって、彼は巨万の富を得たのであるが、これが命取りになったらしい。この際正確に届け出をしなかった罪で書類送検されたばかりでなく、国税庁からも目をつけられた。なんと二十五億円の申告漏れを問われたのだ。どうやら国の権力がよってたかってこの「地上げの帝王」を潰《つぶ》しにかかったらしい。

金策や弁護士との話し合いのために、早川の方が毎晩出かけるようになった。どうやら弁護士の方から、派手なことをするな、女性関係もすっきりさせろと言われたようだ。もちろんごたごたはあったものの、厚子がマンションを出た後もしつこく追うことはなかった。

これは厚子の勘であるが、早川にはどうやら新しい愛人が出来たらしい。マスコミによると厚子は、

「六番目の愛人で、早川にとって最後の女」

ということになるらしいが、七番目もちゃんと登場したのだ。どうもそれは六本木のクラブのホステスらしい。自分を探して街を歩きまわりながら、ちゃんと次の女を見つけた早川がなんだかおかしい。

しかし自分はとんだ迷惑だ。早川があまりにも早く凋落《ちょうらく》してしまったので、厚子はまわりから「さげまんアッコ」などと、ひどいあだ名をつけられてしまったのである。

おまけにあの邦子から訴えられた。どうして自分が訴えられるのか厚子にはまるでわからないが、邦子は、

「内妻としての自分の権利を侵害された」

ということで、早川の五人の愛人にそれぞれ慰謝料を請求したのである。中でも厚子がいちばん高い。いちばん憎しみを持っているからということだろう。もちろん厚子にそんな金を払えるわけがなく、そのままにしておいたのであるが、邦子はこのこ

とを未《いま》だにマスコミに吹聴《ふいちょう》しているのである。

厚子の受難はまだ続いた。早川とすったもんだしている頃、モデル事務所から言われてオーディションをひとつ受けた。それはフィルムメーカーのポスターのモデルであった。卒業式の写真で、小学生と一緒に袴《はかま》姿の女子大生が必要になったのだ。

モデル事務所に所属しているといっても、たいした仕事をしたこともない自分が選ばれるはずはないと思っていたのに、シロウトっぽいのがよかったのか、数十人の中から厚子が採用された。

今年の春はカメラ屋へ行けば必ず自分のポスターを見ることが出来、厚子は素直に嬉《うれ》しかった。プロのカメラマンに撮ってもらい、専門のヘアメイクがついた厚子は、自分が見てもうっとりするほど美しい。事務所の方も、このままでいけばもっと大きな仕事をとれるかもしれないと、初めてといっていいほど厚子に肩入れしてくれたものだ。しかしこのポスターの件は、すぐに写真週刊誌の知るところとなった。

「『地上げの帝王』の愛人が、ポスターのモデルに」

という記事に他の週刊誌も飛びつき、例によって実家に取材に行く記者さえいた。

「全く、本当に損ばっかりだった」

世間で噂《うわさ》されているほど、多くのものを買ってもらったわけではない。ショパールの時計がいちばん高値で、あとは洋服や靴やバッグが少々だ。何十億という金をまき上げた邦子とは三ケタくらい違うと思う。どうして金を遣わないのかと問うたところ、早川は言ったものだ。

「オレとアッコとは、金でどうのこうのいう仲でねえ」

初めてオレが本気で惚《ほ》れた女だから金で結びついていたくない、などという早川の言葉をつい信用したけれども、あれは単に金が惜しかったからかもしれない。そこまで厚子は疑ってしまうのだ。

多くの仲間たちからはこう問われた。

「どうしてあんなおっさんとつき合ったんだ」

金なら確かにあったかもしれないけれども、遣ってくれないならば、貧乏人と同じことではないか。もしそれほど贅沢《ぜいたく》させてくれなかった、という言葉が本当ならば、どうしてあんな東北訛《なま》りが抜けない五十男を好きになったのか。

「まさか、セックスじゃないだろ」

そんな時厚子は叫ぶ。

「若さはバカさ！」

そうとしか言いようがない。あんな金持ちで悪いことを山のようにしていそうな男が、必死で自分のことを口説いてきたのだ。この男とそういうことをしたら、いったいどんなことになるのだろうか、という好奇心につい負けてしまったのだ。それに子どもの頃父親と別れた厚子は、年上の男が決して嫌いではない。「ファザコン」という言葉で自分のことを表現したくないが、年とった男の口説きや愛撫《あいぶ》には、若い男にない切実さが籠《こ》もっているような気がする。

それにしても本当に今回のことは、大損であった。今の時代、多くの女は、自分の若さや美しさが、いくらでも金に換算出来ることを知ってしまった。若くて美しいということだけで、いくらでも多くのものが与えられるのだ。それなのに一年以上も、自分は〝休止〟してしまったのではないかと思う。

株はどんどん上がり、土地の高騰もとどまるところを知らない。「ブルータス」の文句ではないけれど、「東京じゅうに億万長者が溢れている」時代、自分は他の女たちに追いつくのだろうかと、厚子は少々不安になってくるのだ。

厚子はオープンしたばかりの「ADコロシアム」で奈美を待っている。この店は六本木のテレビ朝日に隣接している。有名な空間デザイナーが仕掛けたベトナム料理店だ。英国人のテキスタイルデザイナーが手がけた内装は、ギリシャの英雄の顔の壁紙で、天井がやたら高い。薄いカーテンで隔てて個室のようにすることも出来る。

最近次々と開店する店の洗練されていることといったら驚くばかりだ。内田繁《うちだしげる》、松《まつ》井雅美《いまさみ》といったインテリアデザイナーや空間デザイナーたちが前面に出て、スターのようになっている。

「エリア」「ジパング」というディスコが、今のところ厚子のお気に入りだが、時々は男たちに連れられてニューオータニの中の「タップチップス」へも行く。ドラマの舞台ともなった店で、夜な夜な若いダンサーたちの踊りは見ていて飽きなかった。

本当に一日のうち、夜が二回あればいいのにと思う。そうすれば違う楽しい思いを二度味わえるのだ。

その時、店の黒服が受話器を持ってきた。

「アッコさん、奈美さんから電話です」

早くも厚子はこの店の常連になっていたので、外からの電話もすぐに取り次いでくれるのだ。

「あ、アッコ。悪いんだけどちょっと遅れそうなの」

「うん、いいよ」

「その店じゃ待ちづらいんじゃないの。よかったら西麻布のキャンティに行っててくれない。あそこならひとりでずっと待ってられるからさ」

確かにそのとおりだ。ちゃんとしたレストランのこの店で、ワインを飲みながら女がひとりいるのも居心地が悪い。

「いいんですよ、アッコさん。いつまでも待っててくださいよ」

顔見知りの黒服が言うのだが出ることにした。グラスワイン二杯分はおまけしてくれた。

タクシーで西麻布へ向かう。四年前にオープンした「キャンティ」は、もちろん飯倉の二号店だ。本店よりもややカジュアルにということらしいが、集まってくるのはやはり有名人ばかりだ。入り口のコーヒーハウスはそう広くはないけれど居心地がよく、女がひとりで長居することが出来る。

コーヒーを飲もうかと思ったのだが、ワインがほどよくきいてきたので、もう一杯白のグラスワインを飲むことにした。厚子はこういう時は本を読まないことにしている。女がひとり誰かを待ちながら本を読んでいるなどという光景は最低だ。いかにもモテない女のようだ。

厚子はあたりをゆっくり見わたしながら酒を飲むのが好きだ。その日も時間をかけて、ゆっくりと白ワインを飲んだ。そしてワインを飲み終ったとき、

「もう一杯飲まない」

という男の声がした。しゃれたジャケットの様子といい、髪型といい、ふつうのサラリーマンのようには見えない。もっともふつうのサラリーマンが、「キャンティ」に来るはずもなかったが。

「ねえ、ねえ、この時計見たことある」男は突然言った。「これってさ、ダブルフェイスっていって、日本のメーカーじゃまだこのデザインつくっているところはないんだよなあ。スイスのジュネーブに、手づくりの工房があってそこで世界で二十個だけ、この型をつくってるんだ。もちろん真似《まね》してるメーカーはいくらでもあるけど、ちょっと見てよ。この縁《ふち》のところ。こんなに細かくつくれる技術は、世界中でここだけなんだよ」

驚いたことに男は、どっかりと厚子の隣りに座った。そして自分の左手首を見せる。本当によく喋《しゃべ》る男だ。ぶあつい唇から、いくらでも言葉が溢れ出てきそうな感じだ。厚子は昔、子どもの頃読んだ絵本を思い出した。

魔法にかけられた娘が喋り始めると、その唇から蛇や虫がうじゃうじゃ出てきました……。

「あの、私、友だちと待ち合わせしてるんですけど」

「あ、そう。じゃ、友だちが来るまでいいんじゃないの」

「でも私、時計なんかあんまり興味ないんですけど」

「だって、ほら、君、ショパールのすごくいい時計してるじゃない」

男は不思議な容貌《ようぼう》をしていた。頭が大きく、目も口も大きい。一見日本人ではなく、どこか南の方の国の人間かと思ったくらいだ。けれども外人だったら、こんな風にペラペラと言葉が出てくるはずはない。

「これ、貰《もら》いもんだから」

「ふうーん、でもいい貰いもんしてるね。あのさ、ショパールって、宝石もつくってるけど時計の方が断然いいね。ねえ、知ってる？　このハッピーダイヤモンドって好きなように数を増やせるんだよ。だけど君ぐらい若い子だったら、あんまり多いのもどうかな」

この男はいったい何者だろうか。時計屋かそれともブランド店の経営者なのだろうか。

「そんなわけでさあ、この店を僕がつくった時……」

話を全く聞いていなかった厚子は、えっ？　と聞き返した。

「そうなの。この店、僕がつくったんだよ。ほら、僕は五十嵐《いがらし》だから」

その名前くらい知っている。「キャンティ」の創立者の姓である。

「ウソーッ」

厚子は叫んだ。

「キャンティの人なら、もっとカッコいいんじゃないの？」

「キャンティ」のことは、東京で暮らすちょっとおしゃれな人間だったらみんな知っている。

たとえ飯倉のあの店に行ったことがない者でも、そこがただのイタリア料理店でないことぐらい知っているはずだ。

明治の元勲を祖父に持つ富豪の息子が、戦前のパリに遊学した。そこで彼は多くの芸術家と交わり、ヨーロッパ文化をたっぷりと身につけて帰国した。

やがて戦争が終わり、彼は日本の伝統文化を海外に紹介する仕事を手がける。イタリアを訪れた時、そこに彫刻を学ぶために留学していた素晴らしい美女がいた。二人はたちまち恋におち、やがて結婚した。日本で暮らすようになった二人は、自分たちのサロンのようなレストランをつくることを思いつく。それはヨーロッパの都市に存在する、芸術家の溜《た》まり場だ。男はパリのカフェ「ドゥ・マーゴ」を夢みたという。

昭和三十五年、六本木のはずれ、ほとんど人通りのなかった飯倉に一軒のレストランがオープンする。それが「キャンティ」だ。日本で初めて本格的なイタリア料理を食べさせるこの店に、夜な夜な有名人たちが集まるようになった。作家、音楽家、建築家、俳優、日本を代表するアーティストばかりでなく、オーナー夫妻の友人である海外の著名人たちも来日の都度ここを訪れた。

三島由紀夫《みしまゆきお》、安部公房《あべこうぼう》、大江健三郎《おおえけんざぶろう》、黒川紀章《くろかわきしよう》といった人々もここの常連となった。深夜までやっている店はまだ珍しかったから、芸能人たちもやってくる。若く美しい少女たちがこの店に出入りを許され、女主人に目をかけられる。こうして育った女優たちに、加賀《かが》まりこ、大原麗子《おおはられいこ》がいたのはあまりにも有名だ。最近では厚子たちの女神《ミューズ》、ユーミンがいる。ユーミンは高校生の頃から「キャンティ」に遊びに行き、デビューのきっかけもこの店に集まる人たちが彼女の才能を認めたからだ。

今は伝説のオーナー夫妻も既に亡《な》くなり「キャンティ」は、そう入りづらい店ではなくなった。相変わらず、現金を払わず伝票にサインするだけの常連と、一般客との間に差をつけるけれども、仕方ない。昔から来ている者にすると、以前はふつうの人々にはとても敷居が高く、レストランはもちろん、一階のカフェですら初めての者はとても中に入っていける雰囲気ではなかったという。

今、厚子の目の前にいて、ぺらぺらと喋る男は、五十嵐と名乗り、

「キャンティは僕のうちだ」

と言うではないか。

「なんか信じられない」

厚子はしげしげと男の顔を見る。

「だって、オーナーの写真、何度か見たことがあるけど、六本木の女王って言われてた奥さん、すっごい美人だったし、その旦那《だんな》さんもカッコよかったわ。あなた、あの人たちのいったい何なのよ」

「息子だよ」

「嘘《うそ》ばっかり」

日本人離れした、まるで外国の俳優のようなふたりだった。

「もっともさ、あの女主人の方は義母にあたるけど、僕は父親の前の奥さんの子ども。義母との間には子どもがなかったんだ。あのさ、僕の母は原智恵子《はらちえこ》っていうの。知らないかな」

「知らない」

「あ、そう、結構有名だよ。日本人で初めて世界的に活躍したピアニストだからね。パリにいたわけ、戦争前のね。この店にも中村紘子《なかむらひろこ》ちゃんがよく来てくれるけど、彼女の大先輩っていうとこだね。だけどさ、うちの両親は、僕が高校一年の時に離婚しちゃうんだよね。やっぱりさ、芸術家同士っていうのはうまくいかなかったんじゃないの。うちの親父《おやじ》も映画や写真勉強した人間だったからね、二人の強烈な個性がぶつかっちゃったんだろうなあ。だから僕も弟も寄宿舎学校入れられたの。親がどっちも出てっちゃったから」

取りようによっては、かなり深刻なプライベートの話なのであるが、男は何のてらいもためらいもなく、早口で喋る。途中で不意に懐《ふところ》から名刺を取り出した。

「あ、これ、僕の名刺」

カタカナの会社の名前の下に音楽プロデューサー、五十嵐英雄《ひでお》とあった。

「音楽プロデューサー、なんですか」

「そうなんだ。ほら、YMOとかさ、最近じゃユーミンのアルバムもやったんだけど、他にもいろいろやってるよ。日本じゃまだ外国のインテリアわかる人がいないから、頼まれると空間プロデュースもしてるの。この西麻布『キャンティ』も内装から家具まで、ぜーんぶ僕がしたんだよ。あ、そうそう、君の電話番号教えてくれない？」

厚子は笑い出したくなった。こちらの電話番号を聞き出そうとする時、男はさまざまな手を使ってくるけれども、こんな風に「虚を衝《つ》く」感じで来たのは初めてであった。そう悪い感じではなかったし、「キャンティ」五十嵐家の息子なら身元もしっかりしている。厚子はワインのコースターに、家の電話番号を書いた。仲間は最近携帯を使っているが、高価なうえにショルダーバッグぐらいかさばる。まだ使う気にはなれなかった。

「君、学生なの」

「ううん、短大中退して、今は売れないモデルってとこかな。ま、それもさ今んところは休業中だけどね」

厚子はちろっと舌を出す。せっかくフィルムメーカーのポスターという、大きな仕事が入ってきたのに「地上げの帝王」の愛人がモデルをしていたというのでたちまち剥《は》がされてしまった。あの話を、いま五十嵐にしたら、とても喜ばれそうな気がする。

「そりゃあ、災難だったね。君、若いのにいろんな経験してるじゃないか」

きっと大笑いするだろう。その笑い顔がなぜかはっきりと想像出来た。

その時扉が開く音がして、奈美が店に入ってきた。紺色のソニア・リキエルのコートが、背の高い奈美によく似合っていた。

「あら、こんにちは」

奈美は五十嵐に微笑《ほほえ》みかける。そう親しくはないが、顔はよく見知っている、といった程度の会釈《えしやく》だ。その奈美に対して、五十嵐は「よっ」と手を上げた。

「なんだ、君たち友だちなの。へえー」

しきりに感心してみせたが、奈美の名前は出てこなかったようだ。奈美を座らせようと、自分と厚子との間を少し空けた。まだこの席に居座るつもりらしい。

その時黒服が近寄ってきた。

「英雄さん、安斎《あんざい》さんたちがヒデオさんどうしたんだって言ってますよ」

「いけない、あいつらのこと、すっかり忘れてたよ」

立ち上がりながら、厚子と視線をからめようとする。

「じゃ、必ず電話をするからね」

あら、びっくり、と奈美が彼の後ろ姿を見送りながら言った。

「ヒデオさんにナンパされたっていうわけ」

「そんなんじゃないわよ。名刺もらっただけ」

「えー、アッコってヒデオさん知らなかったの。よくここにも来てるのに」

「知らないよ。いつも私、ここでお茶するだけで、奥のレストランの方には入っていかないもの」

「それにしても不思議。あのね、ヒデオさんは『キャンティ』の社長の、吉雄《よしお》さんのお兄さんなのよ。長男なのにお店を継がないで、音楽の方へ行ったのよね。それで女優の片岡《かたおか》ミキと結婚したのよ」

「あ、そうか、思い出した」

あれはもう七、八年前になるだろうか。人気女優の片岡ミキが、有名レストランの息子と結婚、と週刊誌やワイドショーが報じたものだ。彼女のウェディングドレスも記憶にある。その傍に顔の造作の大きな中年男が立っていたが、あれが今の五十嵐英雄なのか。

「ふうーん、結構ハデなおじさんなんだね」

厚子はつぶやき、それきり五十嵐のことは忘れてしまった。


電話の音で起こされた。時計を見る。まだ八時四十分だ。

「やめてよ、ウソでしょ」

またベッドにもぐり込む。早川と別れた後、結局行くところがなくて、また実家に戻ってきた。その際、自分の部屋に電話を取りつけたのだが、その費用は返してもらったマンションの敷金から出した。本当は早川のものかもしれないが、そこまで考えることもないだろう。自分の部屋に専用の電話が出来たことで、もう義父の進に気がねなく、友だちと遅くまで電話で喋《しゃべ》ることが出来る。いちいち聞き耳を立てられ、監視されていた学生時代とはまるで違う。しかし、こんなに朝早く電話をかけてくる人間がいることは考えもしなかった。階下の電話なら、両親のどちらかが、「まだ寝ています」と断わってくれたはずだ。

電話は執拗《しつよう》に鳴り続ける。

「いい加減にして」

怒鳴りながら受話器をとった。

「もし、もし……」

思いきり不機嫌な声を出した。

「あ、もし、もし、僕。五十嵐だけど」

昨夜「キャンティ」で聞いた声そのままだ。男のくせに明るくトーンの高い声。途切れなく喋るあの声。

「ね、もう起きた？　僕はもう起きて、プールでひと泳ぎしてたところ。僕はさ、このとこ仕事が忙しくって、ずっとオークラに住んでるけど、ホテル暮らしはいいよね。朝、ちょっと思い立ったら三分でプールに行けるからね。おいしい朝食もすぐに食べられるしさ。そして今日、どうしようかなあと思ったら、そうだ、君とドライブへ行こうかなあ、って思ったんだ。ねえ、ねえ、今から湯本へドライブしない。湯本っていってもさ、この頃はすごくいいホテルが出来たよ。団体のおじさんが行くとこばっかりじゃないの。僕の親友がさ、ホテル『水交』チェーンの社長なんだけどさ、今度湯本にすごく豪華な会員制のホテルをつくったんだよ。頼まれて僕が内装のアドバイザーしてるんだ。君にもぜひ見て欲しいな。ねえ、今から行こうよ。君のうちどこだっけ。番号からして都内だよね。迎えに行くからさ、ねえ、今から箱根へ行こうよ。午前中に出発すればさ、夜には帰ってこられるよ。もちろん泊まれるしさ。スイートにはジャグジーがあるよ。何たって、目の前に富士山がばっちり見られるジャグジーなんだからさ」

「あのね……」

怒るというよりも、厚子は呆《あき》れてしまった。

「私、昨夜寝たの午前三時よ。まだちゃんと目が覚めてないの」

「僕だって寝たのは午前四時だよ」

受話器の向こうの声はひたすら明るい。

「眠かったら車の中で寝てればいいよ。ね、ね、今から僕が迎えに行くから住所を教えて……」

二時間後、厚子は五十嵐のジャガーの助手席に座っていた。化粧もほとんどせず、思いきり不貞腐《ふてくさ》れていたのであるが、東名にさしかかった頃には、ようやく眠気が抜けてきた。秋の澄み切った空だ。こんなに雲のない日も珍しいと五十嵐が言った。

「そのホテルは最高なんだよ。日本でもこの頃贅沢《ぜいたく》なホテルがいっぱい出来たけどさ、あんなホテルはちょっとないんじゃないの。僕の親友っていうのはすごい人でさ、あ、『水交』チェーンの社長ね。日本ばかりじゃなくて、世界のいろんなホテルも買い取って、自分好みに変えてるんだ。マスコミにはいっさい登場しないからみんな知らないけど、本当にすごいよ。センスもあるし金もある。タクちゃんって僕は呼んでるんだけど、僕たち慶応の幼稚舎の時からの同級生なんだ。もっとも僕はさ、中等部でやめて高校は鹿児島のラ・サールに転校したんだけどね。人には親父とお袋が離婚して寄宿舎学校に入れられた、なんて言ってるけど本当はウソ。あの学校と合わなくてさ、とても高校行く気にはなれなかったの。その後さ、和光学園行ったんだけどあそこはすごくいい学校だったよ。ほら、作曲家の三枝成彰《さえぐさしげあき》、『CNN』のキャスターしてすっかり有名になっちゃったけど、彼とは同級生だったんだよ。当時はものすごくまじめな奴《やつ》で、今みたいに女優とつき合うなんて思わなかったよ」

厚子はまたうとうとしてきた。いつ終わるかわからない英雄の話はまるで子守歌のようだ。有名人の名がやたら出てるけれども、全く嫌味でない。おそらく「キャンティ」の息子として育った彼にとって、どんな有名人でもごくありふれたふつうの人々と変わりなく見えるのだろう。

「君って眠ってても、口元が笑ってるみたいだね。本当に可愛《かわい》いよね」

そんな言葉がとぎれとぎれに聞こえたが、厚子はまた深い眠りに入っていった。

8

「私って、たぶん家庭運がないんだと思うんです」

目の前の秋山聡子に向かっていうと、彼女の下がり気味の細い目がきらりと光るのがわかった。

「うちの両親が離婚しているでしょう。私の母親はかなり変わった人です。自分がいちばん可愛いの。義理の父の方がずっと躾《しつけ》には厳しかったんじゃないかしら」

「あら、そうなの。でもそれだけで自分が家庭運がないなんて思うの、ちょっと早合点じゃないかしら」

聡子は言う。わざとらしく、のんびりとした口調でだ。この声を聞くたびに、女流作家というのはなんて面白いんだろうかと厚子は思った。

自分のことを書きたい。あの時代のことを知りたいという秋山聡子の申し出を受けたのは、ちょっとした好奇心からだ。奈美はそんな厚子のことを、

「バッカみたい。なんてことすんのよ」

と今でも怒っている。

「取材はさせてあげても、原稿はチェックするのよ。いい、週刊誌にあることないこと書かれたら、そりゃあ嫌な思いするのよ。子どもだってたまんないわよ。だからね、原稿はちゃんとチェックするのよッ」

けれども厚子はそんなことをしないつもりだ。聡子も小説仕立てにするというし、自分のまわりの人たちは仮名にすると約束してくれた。いちいち原稿を見るというのはめんどうくさそうだし、そこでトラブルを起こすのはごめんだ。

そんなことより厚子は、女の作家という人種と向かい合って、自分のことを話すのが次第に楽しくなってきた。

聡子は、

「アッコちゃん、何を食べたいの」

といろいろなものをご馳走《ちそう》してくれる。今夜は季節柄フグ料理だ。聡子はうまいも

のには目がないようで、連れていってくれたのは荒木町の古い店だ。最高級のトラフグを出すと、雑誌で見たことがある。

担当編集者の奥成菜々子によると、聡子は別のところで連載しているミステリーのシリーズがそこそこ売れているので、金には不自由していないという。

おいしいものを目の前にしても、聡子は一滴も酒を飲まない。なんでもアルコールは全く受けつけない体質だということだ。

「だからね、モノのはずみとかが起こらなくて、結婚も出来ないのかもしれないわね」

と笑わせようとするが、あまりにもそのとおりなので、厚子はしらっとしてしまう。彼女の書いた恋愛小説を一度読んだことがあるけれども、恋する若い女の子が結構リアルに描けていたような気がする。結婚はおろか、恋愛を一度もしたことがないようなこんなかさついた女に、どうしてあんな心理が書けるんだろう。本当に不思議だ。やはり作家というのは、他人の人生に入り込もうとする、かなり変わった人たちなのだろう。今日のことにしても、聡子は別にメモひとつとらない。食べものに気をとられているふりをして、自分の話にあまり反応しない。

それが時たま物足りなくなり、ちょっとおいしいものを厚子は投げ与えてやる。すると聡子の表情がすっと変わるのだ。見たことはないけれども、獲物《えもの》に飛びかかっていく野犬のような顔だ。そしてそれを気取《けど》られまいとして、この女の作家はちょっとずれたようなことを口にする。

厚子はそれが面白くて面白くてたまらない。「狐《きつね》と狸《たぬき》の化かし合い」などと言うつもりはないけれども、自分と聡子との間には奇妙な緊張関係が出来上がりつつある。

聡子はフグチリを小皿によそいながら、たえずこちらをうかがっている。そしてそんな自分を大層恥じているのがわかる。そんな空気を破りたくて、厚子はついぺらぺらと喋ってしまうのだ。

「五十嵐とのことも、すごく幸せだったんですよ。あの人、決してハンサムじゃないけど、ものすごく魅力的な人でした」

「わかるわ……」

聡子は大きく頷《うなず》く。彼女は五十嵐と現に何度も会っているのだ。人のいい夫は、おそらく彼女にもやさしく接したに違いない。

「だから彼に女性がいるって気づいた時、ああ、やっぱりと思いました。これは二つの意味があって、やっぱりいたんだっていうのと、やっぱり私には家庭運がなかったんだっていう思いでした」

「でもアッコちゃんに、家庭運っていう言葉はすっごく似合わないような気がしますけど」

編集者の菜々子が口を出した。この女の方がずっと気がきいたことを言うと厚子は思った。

最近この若い女の子と遊ぶことが多い。携帯番号も教え合い、よく世間話をする。アルコールを飲まない聡子は、食事だけ終えるとそそくさと帰っていく。その後、菜々子と二人で遊ぶようになったのだ。

二十五歳。今の自分とはひとまわり以上違う。けれども年の差を感じないのは、昔の自分に似ているからだろう。お酒と煙草《たばこ》が大好きでとても美人だ。ちょっと子どもっぽいアイドル系の美人だから、厚子とはかなりタイプが違う。しかし男の目をひくのは間違いなく、二人で飲んでいると、うるさいほど声をかけられる。

週刊誌の編集というのは、大変な激務なようで、徹夜はしょっちゅうらしい。よく目の下にクマをつくっていて可哀想《かわいそう》だ。二人でクラブへ行ってさんざん踊った後も、

「これから編集部へ帰ってやることがありますから」

と夜明け近い街に出ていく。

恋人は出来ても、忙しいのですぐ別れがくるという。かなり気の毒な境遇だ。

自分たちの時代に、こんなに働く女はいなかったと厚子は思う。いや、まわりに見あたらなかったのかもしれない。

菜々子のように若く美しい女が、どうして徹夜で働かなくてはいけないんだろうか。あの時代、菜々子ほどのレベルだったら、どんな贅沢も我儘《わがまま》も許されただろう。金持ちの娘たちほど、平気で男たちに金を遣わせていた。ある時「お嬢さまブーム」というのが起こり、どういうブランドの学校へ通っているのかというのが肩書きとなり、名刺となった。そしてお嬢さま学校というところへ通っている女たちは、美しかったらもう黄金の杖《つえ》を持ったのも同じだ。それを振りさえすれば、洋服や靴やバッグ、海外旅行をいくらでも手に入れることが出来たのだ。

ああ、あの頃のことを菜々子にもっとうまく伝えることが出来たらと、厚子はいつのまにか聡子に向かって話しかけている。

「あの時五十嵐は、ものすごくお金を持っていました。あの人はプロデューサーとしては天才でしたから、いくらでもお金は入ってきました。そして五十嵐は、私にすべて遣ってくれたんです。その時私、思ったんです。やっと私、いるべき場所に来たなあって。もっとはっきり言うと、貰《もら》うべきものをやっと貰えたなあっていう感じだったかしら」

五十嵐は執拗だった。男の口説きには慣れている厚子だったが、これほどエネルギッシュに根気よく迫ってくる男に会ったことがなかった。朝に昼に晩に電話はかかってくるのである。とうに五十嵐は携帯電話を手に入れているらしく、その背後からはレコーディングスタジオの静寂、またあるいは「キャンティ」のざわめきが伝わってくる。

「ねえ、今日はどうしてるの。一緒にごはんを食べようよ」

彼には女優の妻と暮らす都心の豪邸があったが、仕事がたて込んでくるとホテルオークラに長逗留《とうりゅう》を決め込むという。ふつうのツインの部屋に、資料や本を山のように置いて自分の居場所としていた。初めて出会ってから十日後、ここの「桃花林」の中華を食べた後、部屋に誘われた。断わってもよかったのだが、その誘い方があまりにも自然でかつ図々《ずうずう》しかったのでつい笑ってしまった。そしてそれが承諾のサインとなった。

「やあ、嬉《うれ》しいなあ。本当に嬉しいよ。僕みたいな幸せ者はちょっといないかもしれないな」

五十嵐は「臆面《おくめん》もなく」という表現がぴったりの喜び方をした。アメリカやヨーロッパに遊学している彼は、女の喜ばせ方もどこかあちらがかっているところがある。こちらが気恥ずかしくなるくらい、厚子の美しさや体の素晴らしさを誉《ほ》めるのだ。

「初めてアッコをキャンティで見た時、まるで後光がさしているような気がしたよ。あそこの店は、東京中の綺麗《きれい》な女の子が集まってくる。だけどアッコは違うんだ。まるでタマラの絵の女のように、生命の光が赤く燃えているのがわかるんだ。他の女とはまるで違う。自分ひとりで赤々と炎を出しているんだ」

こんなことをベッドの上でも喋《しゃべ》り続けるのだった。服を脱がせながらもこれだけ絶賛するのだから、すべてむき出しになった厚子に対する感激ぶりといったらなかった。

「すごいなあ、すごいよ。日本人の女で、こんな体を持った子はいないよ。どこもかしこも素晴らしくて、なんか芸術品を見てるみたいだよ」

「それって、ちょっと言いすぎじゃないの」

厚子は笑い声をたてた。

「本当だよ。こんなに胸の大きな女は見たことがないよ。それに胸の大きい女は、全体がだらしないものだけど、アッコのウエストはまるでナイフで削りとったみたいだ。本当にすごいよ……」

そう言って五十嵐は、胴のあたりに唇をはわせた。くすぐったいと身をよじりながら、厚子の中に早川の言葉が甦《よみがえ》る。

「ああ、なんてめんこい体なんだべか。こっだな体してたら、もう男はたまんねえべ。男はみんな狂っちまうべ。アッコは本当に悪い女だべさ」

他の人間と喋る時は、東北訛《なま》りが残る標準語なのだが、早川は二人きりの時はわざときつい山形弁で話す。厚子を抱く時はさらにそうで、山形弁で女性器を意味する言葉を連発しては厚子を笑わせたものだ。そうだ、大切なことを忘れていたかもしれない。

「ねえ、五十嵐さん」

厚子はベッドの薄闇《うすやみ》にはおよそ不釣合な声をあげた。

「ねえ、私のこと知ってる」

「今、もっとよく知ろうとしている最中だよ……」

「そういうことじゃなくて」

ウエストから、さらに下の方に向かおうとしている男の頭を軽く揺すった。

「私さ、ほら、早川佐吉っていう人とつき合ったことがあるの。ほら、地上げの帝王って言われて、さんざん週刊誌に出た人よ。私もついでってことで、やたら写真週刊誌に撮られた時期もあったわ。実名入りでね。ね、そのこと一応伝えとくわね」

「ぜーんぜん関係ないよ」

五十嵐の唇は厚子の肌に密着しているのでくぐもった声になる。

「自分が好きで好きでたまらなくなった女の、過去を聞こうなんて馬鹿《ばか》な男じゃないよ、僕は」

ああ、そうなのかと、快感によじれそうになりながら、厚子は晴れ晴れとした気持ちが体の中に湧《わ》いていくのを感じた。五十嵐に励まされながら、別の男のことを考えている。

早川とつき合う前、本気で好きだった高志のことだ。彼が慶応の学生だった時からの仲で、あのままうまくいっていればたぶん結婚話も出ていたはずだ。それなのに彼が就職して忙しくなり、以前のように会えなくなった。その隙《すき》をついて、早川が厚子をからめとるように自分のものにしたのだ。

彼の方から別れを告げられた仲だったのに、同じ東京にいればいろいろな店で会う。高志から電話があり、いつのまにか時々は長話をする仲になった。高志は早川とのことを好意的に解釈してくれて大層嬉しい。

「仕方ないよ。ああいうタイプの男がまっしぐらに来たら、アッコなんか歯が立たなかったと思うよ。あんな風にマスコミに騒がれてアッコは本当に可哀想だったね」

が、あれほど同情してくれているということは、自分との仲はもう終わったと思っているせいだろうか。

二十三年間生きてきてわかったことがある。男が同情するということは傍観者になったということだ。もし高志がまだ厚子を愛しているならば、早川に対して激しく嫉《しっ》妬《と》するはずではないか。

厚子はその時、邦子の呪詛《じゅそ》のような言葉を思い出した。

「もうあんたなんか、一生まともな結婚出来ないんだからね」

そうだ、今、自分を抱いているのも妻と子どもがいる男だ。こんなはずではなかった。厚子は不倫など嫌いなはずではなかったか、ついこのあいだまで女子大生だった厚子は、学歴も毛並みもいい若い男たちを選べる立場になかったか……。

が、五十嵐の愛撫《あいぶ》が本格的になってきたので、厚子はとりあえずそれに身をまかすことにした。言葉だけではなく、五十嵐のそれは饒舌《じょうぜつ》で多彩であったので、厚子は何度か大きな声をあげてしまったほどだ。

そして日本の男には珍しい美点であるが、ことが終わった後も、五十嵐は厚子の肌を指でなぞり、髪を撫《な》で言葉を尽くす。そして厚子がどれほど自分を感動させたかを、長々と語った。

もの憂《う》く、投げやりな気分になったのは女である厚子の方だ。

「ねえ、こんなことして奥さん大丈夫なの。あの有名な女優の奥さん、平気なのかしら」

これを口にしたら、男の行為が止まるのかどうか、知りたくなる。

知れば知るほど、五十嵐というのは不思議な男だ。

まず信じられないほど顔が広い。かまやつひろし、加賀まりこ、といった芸能人たちと兄弟のようなつき合いをしているかと思うと、黛敏郎《まゆずみとしろう》、星新一《ほししんいち》、今井俊満《いまいとしみつ》画伯などからは、まるで甥《おい》のような扱いを受けていた。一世を風靡《ふうび》したYMOは、五十嵐が見出《みいだ》し、彼が育てたのだ。五十嵐が村井邦彦《むらいくにひこ》と共に設立した「アルファレコード」は、日本のミュージックシーンを塗り替えたと言われている。ここから厚子が女神のようにあがめるユーミンも巣立っていったのだ。

あまりにも厚子が、

「ユーミン、ユーミン」

というので、五十嵐は一度「キャンティ」で会わせてくれたことがある。

細いウエストラインをきわ立たせるように、黒いぴっちりとしたダナ・キャランのワンピースを着た、松任谷由実《まっとうやゆみ》は、厚子に会うなりこう声をかけた。

「お、魔性の女！」

昼に悪戯《いたずら》っぽい微笑がたたえられている。悪意は微塵《みじん》もない。ただユーミンは目の前にいる若い女が面白くてたまらないらしい。

「いろいろ週刊誌で読んだわ」

「やめてくださいよー」

厚子は大スターに会った緊張と照れで、ちょっと身をよじって笑った。

「あんなのー、ウソばっかりなんですからー」

「でもいいじゃないの。魔性の女なんて、私もいっぺんそう呼ばれてみたいわ」

ユーミンに言われると、気持ちがぐっと楽になる。今までマスコミに「性悪女」、「金に目がくらんだ悪女」などと書かれるたびに、気にしていないと思っていたものの、澱《おり》のように溜まっていくものがあったのだ。

厚子は発売されたばかりのアルバム「Delight Slight Light KISS」にサインをしてもらった。自分でも「ひとり電通」と言うとおり、ユーミンのアルバムは毎年暮れに発売されるたびに、大がかりなプロモーションがなされ、レコード店の店先はさまざまなPOPでユーミン一色になる。なんとひとつのアルバムは二百万枚前後売れるのだ。

ユーミンは気さくにサインしてくれただけでなく、七月の逗子《ずし》マリーナに、

「ヒデちゃんと一緒においでよ」

と誘ってくれたのである。

五十嵐はユーミンとの思い出話をこんな風に語った。

「彼女がまだ高校生の頃、つくったテープを僕に聞かせてくれたんだよ。あ、いいじゃない、プロになれるかも、なんて呑気《のんき》に言ってたんだけど、こんなスターになるなんて思ってもみなかったよな」

そもそも五十嵐はプロのギタリストだったのだ。それもフラメンコギターを弾いていたというので、最初に聞いた時、厚子はいつもの、

「ウソー、信じられない」

という大きな声をあげた。最新の音楽をつくるプロデューサーが、「禁じられた遊び」を弾いていたなど、どうしても想像することは出来なかった。

若い時分ニューヨークに留学した際、彼はグリニッジビレッジで、フラメンコギターに磨きをかけたのだ。同時にニューヨークで、最新のレコーディング技術を身につけて帰ってきたのだから、日本ですぐにひっぱりだこになった。グループサウンズ全

盛時代は終わりかけていて、みんなさらに高度なものを欲しがっていたからだ。が、五十嵐が人々から求められたのは音楽の知識だけではなかった。あの「キャンティ」の御曹子《おんぞうし》として育ち、ヨーロッパやアメリカに遊学した男は、インテリアや建築のセンスも持ち合わせていた。厚子も何度か聞いたことのある伝説的な会員制ディスコ「キャッスル」も彼がプロデュースしたものなのだ。

今も多くのレコード会社、ミュージシャン、飲食産業から多くの企画を頼られている。それだけではない。今、松井雅美や内田繁といった人々が脚光を浴びているけれど、日本人も建物の外側をつくっただけでは駄目なんだ、ということにやっと気づいてくれたんだよ。インテリアだけでもない。「ソフト」っていう言葉がやっと認識されたんだ。

などというようなことを、五十嵐は一方的に喋り始める。もうかなり慣れたけれども彼の唇からは途絶えることなく言葉が溢《あふ》れ出すのだ。けれどもそれは決して自慢話に聞こえない。単に事実を羅列しているだけなのだと厚子にもわかる。

「今度さ、デヴィッド・ハミルトンから日本でのエージェントを頼まれたんだ」

「今度さ、ＹＭＯの細野君と組んで、新しいレストランを企画しようと思ってるんだ」

大言壮語を口にする男はいくらでも見てきた。ディスコのＶＩＰルームで、男たちは、三分に一度は有名人や自分の手がけている仕事や金のことを喋ったものだ。あの早川も、近づいてきた大銀行の頭取の名や、一緒に食事をした日本を代表する企業のトップの名を嬉しそうに語ったものだ。

けれども五十嵐はそういう男たちとはまるで違っていた。子どもが昨日、今日あったことを喋るように、全く無邪気にさまざまなことを口にするのだ。子どもと同じように、なかなか句読点を見つけられない。育ちがよく、贅沢《ぜいたく》に孤独に育つと、これほど他人に対して無警戒な人間になるのかと、厚子は心配になることがある。寄ってくる人間に対しては誰にでも親切だったし、過去二度ほど大麻所持で逮捕されたことも隠しはしなかった。

「だってあの頃のアメリカじゃ、みんながやってたことなんだもの」

この時も表情は明るい。

「日本にさ、『ヘアー』を持ってきたのは僕だったんだけどさ、あのミュージカルなんか、言ってみればアメリカの大麻の文化から生まれたものだからね。そもそもイギリスでローリング・ストーンズっていうグループが出て……」

このあたりになると、厚子はよくわからなくなるのだが、それでも彼といるのは楽しかった。五十嵐が一方的に喋り、厚子は笑いころげ、時々「ウソーッ」と言うだけだ。けれども五十嵐は言う。

「アッコぐらい、気が合う女は初めてだよ。ホント、アッコといるとさ、本当に楽しいよ、最高の気分にしてくれるよ」

「あら、じゃ、奥さんといる時はどうなの」

こういう時、厚子には決して嫌味に聞こえない自信があった。なぜなら、彼の妻に全く嫉妬はしていないのだから。

「大丈夫、大丈夫」

彼は男にしてはきゃしゃな美しい手を振った。長年ギターを弾いていたというのに、女のような細い指だ。

「僕の奥さんはすっごく頭のいい、できた女の人なの。僕の仕事も理解してくれてるし、アーティストにとって、何がいちばん必要かもちゃんとわかってる人」

「え、何が必要なの」

「恋にきまってるよ」

五十嵐は厚子を見つめる。大きな二重の目は男の場合、恋を語るのには向いていない。しかもよく喋《しゃべ》る厚い唇がすぐ下にあればなおさらだ。

「僕はさ、本当にアッコに夢中なんだ。今、仕事をしていても何をしていても、アッコのことを考えちゃうんだ。〝狂おしい〟っていう言葉があるだろう。僕はそれがどういうことかよくわからなかったけど、アッコと会ってやっと実感出来たよ。アッコは目がいいよ。たまらないよ。目の大きな女はいくらでもいるけど、アッコの目は僕ぐらいお喋りだ。いろんなことを話してくれて、飽きるっていうことがない。アッコはさ、計算しているようで、まるっきり何もしてないのさ。いつも面白そうなこと、楽しそうなことだけを追っかけてる。それが目に表れてるから、みんな男は吸い込まれていくのさ」

彼の口説きは永遠に続くかと思われる。この頃わかったことであるが、五十嵐は女に愛をささやく自分が好きなのだ。ギターの弦をかなでるように、自分の言葉に酔いしれているのだ。だから厚子は、途中でストップをかけることにした。

「でもね、私、奥さんいる人とだらだら続ける気はないの」

これは正直な気持ちだ。もうそろそろ二十四歳になろうとしていた。世間から見れば立派な適齢期だ。今、女たちの間では「三高」という言葉がささやかれていて、収入や学歴、身長の足りない男は相手にされないことになっている。両親に言わせると「とんでもない傷物」になった自分は、そういう男を手に入れるチャンスを逃したことになる。けれども自分の今の美しさと若さだったら、まだ男はいくらでも寄ってくる、という自信はあった。学生時代からつき合っている高志も、まだ自分に心を残しているような気がする。しつこく電話をくれる大金持ちの不動産会社の二代目もいる。売れっ子のグラフィックデザイナーも自分に夢中だ。このまま五十嵐とつき合っているうち、自分の大切な持ちものの「若さ」が減っていったらどうしよう。自分に不利になるばかりではないか。

「一年よ」

厚子は言った。

「奥さんと子どもがいる人とつき合うからには期限を決めましょうよ。私、一年間だけ五十嵐さんとつき合うわ」

「今からかい」

「ううん、もう三ヶ月つき合ってるからあと九ヶ月というところよ」

「そりゃないだろう」

五十嵐はふざけて、椅子《いす》にひっくり返るふりをする。

五十嵐は構わないと言ったけれども、しょっちゅうホテルオークラに行くことは気がとがめた。夜遅くフロントの前を通ると、ホテルマンたちの視線を感じる。一流どころのホテルマンたちは、決して客をぶしつけに眺めたりはしない。やや目を伏せ、何か仕事をするふりをしているが、厚子の存在はきちんととらえていると肩が語っていた。

妻子ある男の部屋から、毎晩のように帰る若い女。

それが彼らが把握した厚子の姿だし、事実そのとおりだ。ひとりで帰るとまるで娼《しょう》婦《ふ》のようだし、五十嵐に肩を抱かれてロビーを突っ切ると、彼らに自分たちの関係をさらに詳しく教えているようだ。また毎晩のように出歩く厚子に、義父の進が叱言《こごと》を言うようになった。

「もう週刊誌に書かれるようなことはごめんだぞ」

というところを見ると、相手が誰だか薄々知っているのかもしれない。

厚子は再び部屋を借りることを思いついた。早川が借りてくれたマンションの敷金はまだ少し残っている。まだ金があり余っていた時、早川は関係していた不動産会社の株を、厚子名義で買っておいてくれた。今この会社は、早川とは違って地上げを上手にやり、法に触れることもなく大儲《もう》けしていた。おかげで株の配当もかなりのもので、小さな部屋ぐらい借りることが出来る。

五十嵐が暮らすホテルオークラにそう遠くないところに1DKのマンションを借りた。地名で言えば東麻布のこのあたりは、南麻布、西麻布と違い、下町の風景が残っている。この数年、若い建築家たちが実験的なマンションを建て始めた。うちっぱなしのコンクリートとガラスで建てた低層マンションは、よくマスコミでも取り上げられる。この建築家と五十嵐とが親しい縁で、相場よりも安く借りることが出来た。といっても、月々二十五万円もする。五十嵐は半分出すといったが、それは断わった。いずれ終わりが来る仲なのだから、金銭がからむようなことはしたくなかった。それに本音を言えば、五十嵐と同時進行で、他の男とつき合う可能性もないわけではない。その時に他の男が借りてくれた部屋に住んでいたらどうなるか。そう考えて高志の顔が浮かぶ。外見といい、学歴といい、申し分のない若い男。彼を完全に手放したくはなかった。

だから引越した時も、真先に彼に知らせた。

「駅は神谷町だけど、六本木からも歩いてこられるわ。だから遊びに来て」

「アッコの部屋には、誰がいるかわからないからおっかないよ」

「ひどいー。そんな言い方して」

大きな声をあげると、ごめん、ごめんと高志は謝った。その低い声のやわらかさが、いかにも若い男のもので耳に心地よい。

そうしておきながら、厚子は毎晩のように五十嵐と会っている。音楽プロデューサーに加えて最近は空間プロデューサーという肩書きが加わり、忙しさに拍車がかかった五十嵐なのに、厚子のために必ず夜は空けておく。ふたりきりで食事をすることがほとんどだが、五十嵐の友人たちと一緒のこともある。テレビや雑誌で見る有名人たちが、気さくに「アッコちゃん」と呼びかけてくれることに厚子はすぐに慣れた。酒を全く飲まない五十嵐なのに、酔ったような早口になり、あたりを見わたす。

「どうだい、アッコってすっごい美人だろ。すっごく可愛《かわい》いだろ」

その夜、厚子は西麻布の「キャンティ」で五十嵐と待ち合わせをしていた。が、扉を開けて、いつもと違う空気があたりに漂っていることに気づいた。いつもはにこやかに話しかけてくれる従業員たちが、今日はよそよそしい。厚子と目を合わせないように、足早に通り過ぎる。

厚子は入り口近くのソファに座り、白ワインを頼んだ。そしてこの頃吸い始めたメンソールの煙草《たばこ》に火をつける。その時奥のレストランからこちらに近づいてくる女を見た。そう背は高くないが、足の長い均整のとれた体つきだ。ほとんど化粧はしておらず、ブラックジーンズをはいていたが、女優という仕事をしている人種だけが放つ、桃色がかった銀色の光が漂っていた。五十嵐の妻に今まで会わなかったのは本当に不思議だと、厚子は他人ごとのように思った。

「あなた、いったい何を考えてるの」

彼女は、厚子がよく見ていたドラマと全く同じ声で叫んだ。

しかし現実感がまるでない。女優片岡ミキがデビューしたのは、自分が小学生の時だから彼女はもう四十近くになっているはずだ。最初はアイドルとして売り出し、おそろしくヘタな歌を歌っていた。が、ホームドラマに出演したのがきっかけとなり、女優へと転向した。途中でスキャンダルにも遭ったりしたのであるが、意外にも彼女は演技派への道を順調に歩んでいる。

あれは何のドラマだったろうか、確か民放の九時からの番組だ。若手女優の母親役で出ていたのだが、母親自身も恋をする設定であった。その役は、老《ふ》けることなく、かつて「妖精《ようせい》」と呼ばれた片岡ミキによく似合っていた。

そう、とても不思議な気がする。テレビでよく見ていた女が、自分の目の前にいる。そしてこちらを憎しみを含んだ目で見つめているのだ。憎しみというのは、ごく近い場所にいる人に対して持つものではなかったか。それなのに厚子は、今初めて会う人間、しかもかなりの有名人から憎まれているのだ。

「あなた、北原厚子さんよね」

ミキは念を押す、というよりも、発音することによって、相手に黒いものを投げつけようとしているかのようであった。厚子は自分の名が、これほどまがまがしく口に出されるのを聞いたことがなかった。

「はい、そうですけど……」

「じゃ、私が誰かもわかるでしょう」

「ええ、女優さんですよね」

しらばっくれて、というようにミキは深いため息をついた。気がつくと従業員たちがじっとこちらを見ている。中には奥のレストランから顔を出し、なりゆきをうかがっている客もいる。

「こんなところじゃ話も出来ないわ。ちょっと外に出ましょうよ」

ミキは厚子の手首をギュッとつかんだ。こんなきゃしゃな体から、どうしてこんな力がと思うほどの強さだった。

「ちょっと待ってください。私、人と待ち合わせしてるんです」

「どうせ五十嵐でしょう。店の者が伝えるはずよ」

ソファからハンドバッグを取るのがやっとだった。ミキはぐいぐいと厚子をひっぱっていく。

「やめてくださいよ、ちゃんと行きますから手を放してください。痛いじゃないですかッ」

厚子はわざと大声を出した。レストランの方で、何人かの客が立ち上がってこちらを見ているのがわかる。ちょっといい気味だと思った。こういう場合、噂《うわさ》になるのは有名人のミキの方なのだ。

店を出て左に曲がり、信号を渡った。目の前にレンガづくりのビル、ザ・ウォールがある。ニューヨークやヨーロッパのように、ハンサムな黒服がドアの前に立っている。相変わらず男性ストリップの「J・メンズ」は人気らしい。それを見ようと、若い女の子たちが短い行列をつくっている。

ミキはそこの前を通り過ぎ、ひとつ裏の通りに入った。地上げにもあわず、今どきこんな店が残っているのだろうかと思うほどの古いスナックだ。客も少なく、プリンセスプリンセスの歌が、ボリュームいっぱいに流れていて、なるほどここは本妻と愛人が対決するのにふさわしい場所だった。

コーヒーとミキは頼んだが、厚子はビールを注文した。メンソールを一本取り出す。思いきり深く吸うと、煙もたくさん出た。偽悪的な気分にまではならないが、相手の望むとおりの女になってやろうというサービス精神だった。生まれて初めて女優という人種と向かい合うのだ。これくらいのことをしてもいいような気がした。

「あなた、いくつなの」

「もうちょっとで二十四歳ですけど」

「そう……」

ミキは頷《うなず》く。唇の横に皺《しわ》があるけれどやはり綺麗《きれい》だ。ほとんど化粧をしていないのが、かえって洗練されているように見える。大きな目のまわりにも小皺があるのが、この女の着実な人生を表しているようだった。

「私の耳にもいろんな話が入ってきたわ。でもね、最初は、まあどうにかなるだろうって思ってたの。五十嵐の浮気はこれが最初じゃないし、まあ、しょっちゅういろんなことがある人だったの」

「知ってますよォ」

厚子は自分の声がやけに落ち着いていることに気づいた。こういうのを世間では太々《ふてぶて》しいと言うのだろう。

「だけどね、今度はちょっと問題よね。五十嵐はオークラに泊まりっぱなしで少しも家に帰ってこないの。おまけにあなたと毎晩『キャンティ』でごはん食べてるって言うじゃない」

「毎晩じゃありません」

「とにかく、今みたいに大っぴらにされると本当に困るの。私の立場もあるし、あなたもまたマスコミに書かれたりすると、厄介なことになると思うわ」

〝また〟というふた文字から、ミキは自分の過去をよく知っているのだろう。まあ、あたり前のことであるが。

「子どもたちもむずかしい年齢だし、父親がこんな風に家にいないってことは問題だわ。それでね、あなたにお聞きしたいの。五十嵐のことを本気で思っているの？　それだったら私にも考えがあるけれども」

彼女の夫の言うとおり、なかなか頭のいい女だと思った。世の中には浮気相手の女を罵倒《ばとう》したり、泣きわめいたりする妻がいるらしいが、ミキはあくまでも冷静さを保ち、そして厚子の真意を聞こうとしている。しかし、

「本気で思っているの？」

とミキがこちらを凝視した時、違うわよね、という声が同時に聞こえた。女優というのは、あまりにも多くの感情を、ひとつの言葉に込めてしまうらしい。

厚子はふと、あなたの思っているとおりだと、目の前の女に教えてやりたくなった。

「一年間だけですよ」

「えっ」

「私も五十嵐さんとだらだらつき合う気はないんです。だから一年間だけおつき合いしようと思ってるんです。だから安心してくださいよ」

最後は慰めたつもりであったが、この言葉は意外な効果をもたらした。ミキの肩が軽く上下し始めたのがわかる。憎しみを抑えようとしていた顔に、今は単純で力強い怒りがわいていた。

「あなたは一年間のお遊びでしょうけど、その間、どれだけ多くの人が傷つくと思っているの。世の中、そんなに甘く見てもらっては困るわね」

「ですけどねえ」

もう頭にきた。せっかく人が親切に、一年だけですと優しく言ってやったのに……。

厚子は煙草を荒々しく灰皿に押しつけた。

「最初にしつこく、私に寄ってきたのは五十嵐さんの方なんですよ。私、最初奥さんのいる人とつき合うなんて、絶対にイヤだったんです。それが、五十嵐さんの方から、そりゃあもう、しつこく朝から晩まであれこれ電話をかけてきたんです」

「あなたねぇ」

ミキはひと呼吸置く。そう、そう、こんなシーンを見たことがある。日テレだったっけ、それともTBSだっけ。若い女優をこういう風に冷たく強く見据えていた。そうしてかなりきついひと言を口にするんだ。

「あなた、そういうことを言うことが、私や子どもたちだけじゃなくて、五十嵐をとても侮辱していることに気づかないの。自分でもとってもみっともないことを言ってるのよ」

あら、そう、と厚子は思った。この女へのちょっとした好意から本当のことを言っただけではないか。それがどうして侮辱になるんだろうか。妻という女はなんと勝手なものだろうか。

9

「そうかあ、房子《ふさこ》のやつ、君のところへ来たのかあ……」

五十嵐は、あーあとため息をついていたが、そう困っていないのは、いつもの明るいままの表情でわかった。

「奥さんって、本当の名前は房子っていうんだ」

芸能人の本名とその芸名の落差にはよく驚かされるが、こんなに違うのも珍しい。ミキが房子だって、まるでおばさんの名前のようだ。厚子は昔、ボーイフレンドが持ち歩いていた「GORO」の表紙を思い出した。篠山紀信《しのやまきしん》の撮ったミキは、乳房が半分はみ出した水着をまとっていた。その乳房の見えている部分には、白い砂がついている。浜辺で撮られたものだ。そして風になびく長い髪の間から、ミキの大きな目がじっとこちらを見ている。当時「小悪魔」とか「妖精」と呼ばれていた人気タレントだった。でもあの時から房子、などという名前だったとはなぜかおかしい。

「あの人って、デビューする前は六本木のクラブでホステスしてたんでしょ」

つい意地の悪い気分を言葉につけ足した。

「そう、そう。あそこのホステスしてて、デビューした女の子っていっぱいいるよ。房子って家出して、他に行くところもないからスカウトされてあそこに入ったんだ」

「ふうーん」

「房子はもともといいところの娘で、大学教授の娘なんだ。だけどどうも親とうまくいかなくなったんだよな。それでとにかく家を出たい、家を出たいってそればっかり考えてたっていうんだ。僕もそういう気持ちすごくわかるよ。ほら、僕も家にいるのが我慢出来なくて日本を飛び出したんだからさ」

「へえー」

厚子は面白くない。男が自分の妻のためにセンチメンタルな気分になっているのを見るのが、楽しい女などこの世にいるだろうか。

「房子はいつか家を出ることを夢みて映画ばっかり見てたっていうけど、僕の場合はギターかな。子どもの頃はピアノを習わされたりもしたけど、お袋がうちを出てからはぱったりやめたよな。それよりもしっくりきたのがギターだったよなー。ちょうどさ、うちの親父《おやじ》が、新しい奥さんと『キャンティ』始めた頃でさ、あの頃はそんなに客もいなかったから、よく店先でぽろんぽろん弾いてたよ。するとさ、必ず誰かが声かけてくれるのさ。中に音楽家もいるから、いろいろ教えてくれてさあ、あれは楽しかったよなあ……」

五十嵐は遠いものを見つめる目をする。が、そうしながらも彼の口は勝手に動いて止まることがない。

「もうさ、高校一年の時には留学するって決めてたからね。親父も、ヨーロッパでもアメリカでも好きなところに行っていい、って言ってくれたけどさ、よし、とか、しめた、っていう気分にはなれなかったよなあ。あの頃、外国に行く奴《やつ》なんてめったにいなかったもんな。そりゃあ心細かったし、僕の居場所は本当にあるのかなあなんて思ったりもしたけどさ。結果的にはよかったよなあ。こうして仕事も忙しいしさ、アッコとも知り合えたわけだし」

「海外行ったのと、私と知り合ったのとどういう関係があるわけ？」

「大ありさァ……」

五十嵐はぐいと厚子をひき寄せる。男にしては線が細く薄い体つきだが、こういう時は強い力が出る。厚子の髪を撫《な》で、はえぎわに何度も口づけした。

「だってさ、外国に行って、外国の女とつき合ったから、こうしてアッコのよさもわかるんだよ。他の男だったら、アッコのことを、ただ美人だとか、可愛《かわい》いって思うだけだろうけど、僕は違うよ。アッコはさ、日本の女が持ってない量感っていおうか、ボリュームがあるよ。中身も外見も薄っぺらの日本の女とはまるで違う」

「なに、それ。私が単にデブっていうことじゃないの」

「違うよ、ゴージャスっていうことだよ。僕はさ、いつも思ってるんだ。アッコをパリの街角に立たせたいって。いや、ローマでもいいな。男たちはびっくりするぞ。今まで日本の女って、貧弱な姿勢の悪い女ばかりだと思ってたのが、こんなに圧倒されるいい女がいるんだって」

「ホントに口がうまいんだからァ」

厚子は喉《のど》をのけぞらせて笑う。それが癖だったし、こうすると五十嵐がそこにキスするのを知っているからだ。

「いや、僕はアッコをヨーロッパに連れてくつもりなんだ。来月あたりどう？」

五十嵐はまるで京都に誘うような調子で言った。

「ほら、アッコも会ったことがあるじゃないか。水交社の社長、僕が幼稚舎の頃からの親友……」

「田端《たばた》さんね」

親の代からのホテルチェーンをさらに拡大させた大金持ちだ。

「田端がさ、ローマに老舗《しにせ》のホテルを買ったんだよ。それでさ、僕に内装の相談にのってくれって言うから、来月行くつもりなんだ。田端って自家用ジェットも持ってるから、それにも乗せてくれるよ」

五十嵐という男は、いつもおとぎ話のようなことを口にし、それを実現させる男だった。けれどもこれはあまりにもすごすぎる。ヨーロッパ、自家用ジェットという言葉が、これほどたやすくかなえられていいのだろうか。とりあえず厚子は、ウソー、嬉《うれ》しい、と言って五十嵐の首に手をまわす。ミキの顔がその時うかんだ。たぶん自分は、彼の妻が考えるとおりの女なのだろう。

厚子は海外に出かけるのは初めてである。これは今の若い女性にとって、かなり珍しいことであろう。

この何年か「卒業旅行」というのが流行《はや》り、たいていの女子大生が卒業する春休みにヨーロッパ旅行へ出かけるようになった。就職したら返す、という名目で親からたっぷりと小遣いを貰《もら》い、その大半は、ブランド品を買うのに費されるのである。そのために「CanCam」や「JJ」は特集を組むぐらいだ。

エルメスのバッグはちょっと手が届かないが、ルイ・ヴィトン、ロエベ、ノーマカマリ、カルロスファルチ、シャネルの素敵なバッグ、タニノ・クリスティ、セルジオ・ロッシ、オペルカの靴、アルマーニやジェニー、クリツィアも、ニットやスカートぐらいだったら買える。

株は上がりに上がり、日経平均は三万五千円近くになった。ニュースで「史上最高の――」という言葉を聞くのは、もう慣れっこになっている。

「史上最高の株価を記録しました」

「史上最高の経常利益となっています」

「史上最高の海外渡航者数となりました」

全日空が海外に飛ぶようになったのは少し前だが、サービスに慣れていないため、ファーストクラスの食事が終わるのに三時間かかった……などという話が巷《ちまた》を賑《にぎ》わせている。

とにかく休暇をとって、みんなが急《せ》くようにして海外へ向かう。日本人はあり余る円にものを言わせて、海外から名画を買い漁《あさ》り、ソニーがコロムビアを買収したように企業も建物も次々と自分たちのものにしている。それだけではない。年端《としは》もいかぬ若い娘たちが、パリやローマ、ニューヨークのブランド店に押しかけ、山のようにあれこれ買っていくのだ。これはまことに由々しきことではないだろうか。ヨーロッパやアメリカの心ある人たちは、日本の女たちの行動に、みんな顔をしかめている……などという論調の文章が、よく新聞や雑誌に載るようになったが、誰も気にする者はいない。

私たちがブランド品を買ったからといって、誰が迷惑をするの。誰が嫌がっているの……。

厚子の仲間たちはみんなこう言う。

そりゃあ、感じ悪い店はいっぱいあるわよ。パリのルイ・ヴィトンは、あまりにも客が入り過ぎるんで入場制限をしている。日本人にはバッグを一個しか売らない、というところもあるわ。だけど日本の若い女の子、大歓迎というところはいっぱいよ。ローマのタニノ・クリスティの店長は、日本の若い女の子が来ると大喜びで、必ず自分が靴を履かせる。跪《ひざまず》いて、イタリア語で何かささやきながら、平気で足首を撫でたりするわ。いったいどこの誰が、私たちのことを迷惑だって言ってるのよ。ルイ・ヴィトンのハンドバッグの三分の一は、日本の女が買っていくって言われているのよ……。

しかし厚子は、そういう話題についていけなかった。ヨーロッパはおろか、みんなが週末に買物ツアーに出かける香港《ホンコン》やグアムにも行ったことがない。早川はあの頃、途方もない金を手にしながら、厚子を決して海外旅行へ連れていこうとはしなかった。

「若い女さ海外さ連れてくなんて、成金のオヤジみたいでみっともねえべ」

というのがその理由だった。

「だって成金のオヤジ、そのものじゃん」

と厚子がからかうと、こらーっと怒るふりをしていた彼は、今、凋落《ちょうらく》の一途を辿《たど》っているようだ。脱税容疑がマスコミを賑わすようになってから、彼をとりまいていた大企業や銀行がさっと手をひいたのだ。早川は以前ふと漏らすことがあった。

「銀行っていうのは、カンカン照りの時は、傘借りろ、傘持ってけ、って無理やりこっちに押しつける。だけんども雨が降ったらさっとひき揚げる、ってよく言うが、あれは本当だべなあ。今は日本中がカンカン照りだから、あいつらはそりゃあしつこく、傘借りろ、借りろ、って押しつけてくる。だけど見てみろ、ちょっとでも雨がパラついたら、鬼のようになって傘を取り上げるべさ」

どうやらそれは本当のこととなったらしい。けれども運の悪い早川は別にして、日本中どこもかしこも照り輝いている。晴天は永遠に続くかと思われた。

そしてこの晴天は、何人かのとりわけ美しく魅力的な女たちに、特別の恵みを与える。巷では「アッシー君」「メッシー君」「ミツグ君」などという言葉が使われているが、やはり究極の「ミツグ君」は、女をヨーロッパに連れていく男だろう。時たまマンションを買ってくれる男のことを耳にするが、これは女たちの間でそう羨《うらや》ましがられない。マンションというのはあまりに重た過ぎる。ずっと男に縛られるような気がするし、だいいち親にどう言いわけすればいいのか。

それよりも女たちが望んでいるのは、贅沢《ぜいたく》な海外旅行であろう。一流のホテルに泊まり、それこそ買いたい放題高級ブランド品を買ってもらう旅。マンションは友人たちに見せびらかすことが出来ないが、バッグや洋服は、いくらでもまわりにため息をつかせることが出来る。

最近ＪＡＬはファーストクラスから埋まっていくという。それも中年の男と若い女のカップルが多い。帰りのパリ便ときたらそれこそ見物《みもの》だ。女たちは真新しいシャネルのスーツやワンピースに身を包み、足元にはエルメスのケリーバッグを置いている。ヨーロッパの金持ちの中年マダムが持つ三十万、四十万円のハンドバッグが、日本では二十代の女の子によって使われるのだ。

そういう話を聞くたびに、厚子は自分の身の不運を思わずにはいられない。とんでもない悪女、金めあてに中年男をたぶらかす女、とさんざん書かれ、マスコミに顔や実名まで出されてしまった。それなのに〝実入り〟の悪いことといったらどうだろう。厚子が手にしているものといったら、早川から贈られたショパールの時計がひとつだけだ。マスコミに出たことは、半分居直っている。いずれ世間の人々は、アッコという女がいたことなど忘れるはずだ。事実、五十嵐にしても、厚子が話すまで早川とのことはまるで知らなかったという。自分がまだ若く、美しい限り、男はこの後も寄ってくるだろうという自信はある。それはいいとして、今、多くの女たちが味わっている豪奢《ごうしゃ》な快楽を自分がまるで手にしないのはやはり口惜《くや》しい。過去にバランスシートがまるで取れていなかったのは、もしかすると自分に聡明《そうめい》さが欠けていたのではないかとさえ思う。

だから五十嵐からヨーロッパ旅行に誘われた時、厚子は即座に「嬉しい」と言った。彼の妻のことが頭をかすめたけれども、五十嵐がうまくやってくれるに違いない。マンションと違い、旅行の記憶や買ってもらうことになっている洋服やバッグも、いずれ消えてしまうものなのだ。だから彼の妻も自分も、そう気にすることはないのだ。

誰もが先のことなど何も考えてはいない。日本中に金が溢《あふ》れている間は、それをたっぷり遣うだけだ。とにかく厚子は、自分ひとりだけ祭に参加できないのが嫌だった。

午後の便のJALのファーストクラスは、明るく広々としていた。ウェルカムドリンクのシャンパンを運んでくるスチュワーデスさえ、特別に美しく洗練された女を選んでいるような気がする。

五十嵐は相変わらずペラペラ喋《しゃべ》りながら、厚子にリクライニングシートの説明をする。

「いい、そのボタンを押すと、下の足置きがぐっと出てくるけど、飛ぶ前は使っちゃ駄目だよ。このボタンは寝る時に押す。背中のところがぐうっと倒れて水平になるよ。このあいださ、ロスにレコーディングに行こうとしたら驚いたよ。もうファーストクラスが取れないんだ。仕方なくさ、ビジネスにしたけど、ビジネスはやっぱり疲れるよね。ほら、ふつうのサラリーマンも、もう出張でビジネス使うのはあたり前だから、昔のエコノミークラスみたいなもんだもんね。やっぱりさ、飛行機はファーストクラス使わなきゃ駄目。疲れがまるっきり違うもん……」

ウイークデイの便のためか、まわりを見渡してもそれらしきカップルはいない。が、ファーストクラスの後ろの方に、人気タレントとその夫が座っていた。ハーフ独特の、人形のような完璧《かんぺき》な美貌《びぼう》を持つ彼女は、舌たらずな喋り方で人気があった。彼女は昨年、実業家と結婚し、あの時はかなりマスコミを賑わせたものだ。芸能人と「青年実業家」の組み合わせなど、掃いて捨てるほどあるが、彼女の場合は「玉の輿《こし》」と大層羨ましがられたものだ。相手の男が、ビルやゴルフ場を幾つも持つ不動産会社のジュニアだったからだ。今の世の中、一代の叩《たた》き上げでなく、二代続いていれば由緒《ゆいしょ》正しい御曹子《おんぞうし》ということになる。彼の実家は資産数百億円と書かれているが、実際はもっとあるという話だ。彼の顔はよく知っていた。六本木でも有名な遊び人だ。自分がタレントになってもいいような甘いマスクをしていたから、女によくもてた。今の妻と結婚する前は、確かセクシータレントと言われたグラマラスな女とつき合っていたはずだ。

「おお、タッちゃん」

搭乗前に寛《くつろ》ぐサクララウンジで、五十嵐は気さくに声をかけた。夫婦は西麻布「キャンティ」の常連なのだ。

「パリに行くの。僕たちもそうだよ」

「彼女が買物につきあえってうるさいんですよ。その替わり向こうに友だちがいるから、ゴルフもちゃんとする、って条件つきなんですけど」

二人の男はしばらく、パリ郊外のゴルフ場の噂《うわさ》をした。とにかく世界中、どこのゴルフ場へ行っても日本人でいっぱいだとしばらく嘆いた後、五十嵐は厚子を夫婦の前に押し出すようにした。

「こちら北原厚子さん。顔は知ってるよね」

「あー、よくお店で会うわ」

ハーフの妻は、茶色がかった大きな瞳《ひとみ》をしばたたかせ、よろしくと鼻にかかった声で言った。そして夫の姓を名乗った。彼女にも夫にもまるで似合わない古めかしい名前だ。意地の悪いあてこすりをするほど、頭のいい女とは思えなかったが、夫の姓を名乗られ、カップルなのに違う姓を持つもう一方の女が居心地悪くなったのは確かだ。

「パリで時間があったら、ご飯でも食べようよ。僕たちは五日までプラザ・アテネに泊まってるよ」

「僕たちはクリヨンです」

若い夫は妻の肩を軽く抱く。

「彼女がクリヨンの、ソニア・リキエルが設計したスイートが大好きなんですよ。あの部屋じゃなきゃ泊まらないっていうんで予約するのが大変で……」

「僕は泊まったことないけど、あの部屋はいいらしいね。ウッディ・アレンもパリに行くと泊まるって聞くよ。とにかく食事しよう。僕はさ、三ツ星のオーナー何人も知ってるから、いつでも席取れるよ。じゃ、時間があったら電話してよ」

五十嵐は誰に対しても親切で愛想がいい。しかし厚子はこの夫婦と一緒に食事をするものかと心に決めた。きちんとした夫婦に対してひけめを感じたわけではないが、少々見下されたような思いを持ったのは確かだった。

やがて飛行機が水平飛行になると黒服の男が挨拶《あいさつ》にやってきた。ひとりひとりの名を言うのは驚きだった。

「五十嵐さま、いつもご利用いただきまして、ありがとうございます」

そして厚子の方にも軽く頭を下げた。

「北原さま、今回はご利用ありがとうございます。どうぞ何なりとお申しつけください」

違う姓の男女が乗っていることなど、何の感慨も抱いていないという、淡々とした口調である。これはいいとしても、さっきのあのタレントの態度に次第に腹が立ってくる。何をされたわけでもないが気分が悪い。あのタレントは、ステージママがしっかりついていたので、あまり夜の街に出てくることはなかった。それでもある有名歌手との仲が週刊誌に出たことがある。いろいろなことがあった末に、六本木に集う男たちの中でも若く金があり、育ちもいいという、トップレベルの男を手に入れたというのが専《もっぱ》らの噂だ。うまくやった女なのだ。それなのに結婚したというだけで、こんな風に堂々とえらそうにしている。

厚子はしきりに話しかけてくる五十嵐を無視して、持ってきた本を読み始めた。このところ吉本《よしもと》ばななが気に入っている。彼女は出す本、出す本、すべてベストセラーになっていて、この『TUGUMI』も増刷を待ってやっと手に入れたのだ。シャンパンを飲みながら、雲の上で好きな作家の本を読む気分は格別だ。厚子はいつのまにか、うとうととまどろんでいたらしい。軽く肘《ひじ》をつつかれて目をさました。

「アッコ、食事だよ。スチュワーデスがセットするから、もう起きたら」

髪をきっちりひとつにまとめたスチュワーデスが、真白い布のテーブルクロスをテーブルに広げた。そして布のナプキンや、フォークやナイフを並べる。そして挨拶に来た黒服の男が、オードブルを満載したワゴンを運んでくる。美しく彩《いろど》られたカナッペに、キャビアの瓶もあった。

「あのさ、キャビアをたっぷりもらっといて、後でご飯の上にかけるの。キャビア丼《どん》。慣れた人はみんなやってるよ。すっごくうまい。これにお茶をかける人もいるけど、僕はちょっと嫌だな。シンプルにキャビアだけかけるのがいちばんいいよね……」

五十嵐の永遠に続くかと思うお喋りが、今は少々わずらわしい。

ハネムーンのことを、日本語で蜜月《みつげつ》というらしい。自分たちが過ごした十日間は、まさに蜜月だったと厚子は思う。世の中にこれほど豪奢な世界があったのかと驚かされるばかりで、そしてこの豪奢な世界に五十嵐はとても似合っていた。パリとニューヨークに留学していた彼は、英語はもちろんフランス語も自由に喋れた。それどころかローマでは、ゆっくりとであるが、イタリア語も口にする。

「音楽やってる人間っていうのは、外国語を憶《おぼ》えるのが早いのね。それにさ、僕の場合、小学生の頃から親父《おやじ》からうるさく言われて、英国人の教師についていたから」

パリは日本人の観光客で溢れていた。ゴルフウェアを着て、ウエストポーチをつけた中年の男女か、そうでなかったらジーンズに「地球の歩き方」を持つ連中だ。どちらも金は持っているらしく、平気で高級ブランド店に入ってくる。そして商品をいじりまわして、店員に露骨に嫌な顔をされている。

「アッコ、よく憶えておき」

こういう場面は、五十嵐の独壇場であった。

「フランス人は、会話することを何よりも大切にする国民なんだよ。せっかく店員がボンジュールと声をかけているのに、日本人ときたら全く無視して、何とかちゃーんとか呼びかけたり、商品を意味もなく触ってるだろ。あれならば日本人がヨーロッパ中の有名店から嫌われて当然だよ。どんなにたどたどしくたっていい。きちんとコミュニケーションをとって、自分の欲しいものを店員に伝えなきゃいけないんだ」

フランス語を流暢《りゅうちょう》に話し、身なりもいい五十嵐は、どこへ行っても丁重に扱われた。彼はごく当然のようにソファに座り、チーフらしい年配の女店員を呼びつけた。

「このお嬢さんのために、素敵なワンピースを見つけてやってくれないかい」

「かしこまりました、ムッシュ」

厚子はやがてたくさんの服に囲まれる。次々と入ってくる日本人観光客を無視し続けていた彼女が、こちらにつきっきりになり服を運んできた。

「こんなに親切にしてもらって、もし買わないと悪いよね」

日本語はどうせわからないだろうと、大声で言う。

「いや、いくらでも持ってきてもらいなさい。彼女たちはプロだから、アッコに似合いそうなものを選んでくれる。だけど気に入らなかったら、ありがとう、と言って帰ってくればいい。大切なのは、相手ときちんと話をすることなんだよ」

しかしその五十嵐が、ルイ・ヴィトンの店で大声をあげて怒った。店員の態度があまりにもひどいと言うのだ。ここの商品は、日本人の嗜好《しこう》に合うのだろうか。観光客たちはどこへ行っても、ルイ・ヴィトンの店に押しかける。よって商品はいつも不足気味で、よく入場制限をしている。ルイ・ヴィトンの店の前に出来る日本人の行列は、パリの新しい風俗になっているぐらいだ。入場制限はともかく、意地悪げな若い女店員は、倉庫から持ってきたバッグを、まるで犬に餌《えさ》を与えるように、客たちの方に放り投げる。それに群がる客たち。五十嵐はニヤニヤ笑いながら立っていたその店員に、激しく詰め寄った。

「おい、お前、いったい何をした」

最初は日本語で怒鳴り、後はフランス語でまくしたてた。一見国籍不明の男が、大声で怒鳴り始めたので、客たちはいっせいにこちらを見た。

「ねえ、やめてよ。恥ずかしいわよ。ちょっとオ、いいかげんにして」

「いや、こいつら、ちゃんと言わなきゃわからないんだ」

五十嵐は厚子の手を強く振り払った。

「パリにいた時、こういう奴《やつ》らのために、俺がどれだけつらく、嫌な目に遭ったかわからないだろう。今、こいつらは俺たち日本人のおかげで食べてるんだ。それなのに、この態度は何なんだ」

結局、彼女の上役らしい男が出てきてとりなし始めた。後で五十嵐が言うには、フランス人というのは絶対に謝らない。自分の非を認めようとしない連中で、若い店員はそんなつもりでしたのではない、あなたは誤解していると、最後まで言いわけしていたそうだ。

「だけど仕方ないさ。まあ、こんなところだろう」

「本当に変わってるう。人前であんなに大騒ぎしなくたっていいじゃない」

厚子は五十嵐の横顔を見つめる。顔の造作がすべて大きく、決して美男子とは言えない男であるけれども、今はかなり心が惹《ひ》きつけられているのが自分でもわかる。このあいだまで、

「面白くてしつこい中年男に強く迫られ、なんとはなしにつき合ってしまった」

というのが正直なところだった。けれども今はこの男と一緒にいるのがたまらなく

楽しい。二人でパリの街を歩くのも買物をするのも楽しいし、夜、ホテルのベッドの上でたっぷりと愛されるのも楽しかった。体の相性というのがあるけれども、二十四歳になった厚子の体が花開く時、ちょうどめぐり合ったのが五十嵐ということになるのかもしれない。ベッドの上でも、ベッドから降りても、彼はたえず喋り続ける。まるでわずかの間でも、口を閉ざすことが、たまらなく不安なようにだ。

「どうしてそんなに喋るの」

と厚子は聞いたことがある。

「女だって、五十嵐さんのようにお喋りの人、見たことないわよ」

「そうかなあ、自分じゃふつうだと思ってるんだけどなあ」

「全然ふつうじゃない」

「親父にもよく怒られたよなあ、どうしてそんなに喋ってばっかりいるんだって。お前が側にいて、そうやって喋るのを聞いてると頭が痛くなりそうだって、よく言われたよな。もしかすると、高校の時外国へ出されたのも、このお喋りにつき合えないって思ったんじゃないの」

「淋《さび》しかったんだ」

「やめてくれよ」

急に真面目《まじめ》な顔になった。

「うちは男の子は、年頃になるとみんな海外へ出されるからね。親父だって昭和ヒトケタの時代にパリへ行ってたんだ。そういうもんだと思ってたから、別にセンチメンタリズムなんてありゃしないよ」

厚子は以前「キャンティ」について書かれた本を、五十嵐から渡されたことがある。まるでアルバムのような厚い本には、多くの著名人たちの「キャンティ」の思い出が書かれていた。その中に五十嵐の父の写真が何枚かあり、その端整な容姿に驚いたことがある。目や鼻をひとつひとつ比べてみれば、息子と似ているのだけれども、全体の雰囲気はまるで違う。ダブルのスーツを着こなした五十嵐の父親は、いかにも西欧風のエレガンスを身につけていた。五十嵐本人の、無国籍風の雑多さは、誰に似たのだろうか。それをつきつめていけば、彼の本質、本当の孤独というものにぶつかるかもしれないが、そこまでいくのはめんどうくさい気がした。もともと厚子は、相手の心深くに入っていくことが苦手である。少女の頃、親が離婚したということだけで、人にさんざん言われた。

「アッコちゃん、本当は悲しいんでしょう」

「アッコちゃん、本当はお父さんと一緒にいたいんでしょう」

〝本当〟とは、いったいどういうことなのだろうか。人が表に出していることと、奥に隠していることとは、それほどの差があるのだろうか。そしてもし隠していることがあったとしても、なぜ親しくもない人間にやすやすと話さなくてはならないのだろうか。だから厚子は昔から、女同士の打ち明け話をしたことがない。だからいろいろな噂を立てられても平気だ。まわりを見ていると、若い女たちは、秘密をひとつ譲り渡す替わりに、ちっぽけな友情を手にしている。あんなものを欲しいとは一度も思わなかった。

そういう自分を好きになった五十嵐も、ことさらこちらの心に入り込んでこようとはしない。彼は自分のことを喋《しゃべ》り続けるだけで、厚子に問うことはなかった。それが厚子の気分を楽にしている。こちらの内面にこうるさい男だけはまっぴらだ。

しかしなぜか五十嵐は〝友情〟とか〝親友〟という言葉が大好きである。

「あのさ、うちの親父と義母《ママ》は、サンローランと親友だったんだよ。彼が日本に来る時は、必ずうちで一緒にご飯を食べてたよ」

その写真も本の中で見た。「キャンティ」のテーブルを囲んで、まだ若いイヴ・サンローランと五十嵐夫妻がいる。事実、この旅行で五十嵐はサンローランに会おうとしていたが、アフリカに旅行中ということであった。その替わりマネージャーが特別室に招き入れてお茶をご馳走《ちそう》してくれた。この店で五十嵐は、いかにもサンローランらしい黒のベルベットのジャケットとスカートを買ってくれた。

「おお、なんてよくお似合いになる。マダムはなんて美しいんでしょう」

初老のマネージャーは大げさに誉《ほ》めまくったが、五十嵐はささやいた。

「だけど一円も負けてくれなかったよ。やっぱりパリはお高くとまってるよなあ」


買ったばかりのジャケットを着て、ルキャ・キャルトンへ夕食に出かけた。手足の長い厚子は直さずとも、そのまま外国の服を着ることが出来た。あらかじめ日本で予約していたので、いちばんいい席に通された。パリでも指折りのこのレストランは、最近日本のビール会社が買収したばかりだ。

フランス語のメニューを、五十嵐はいろいろ説明してくれ、厚子はオードブルに、キャビアと帆立のサラダ仕立てを頼んだ。

「今季節だから、ジビエも食べなくっちゃ。フランスは狩猟の文化があるから、ウサギや鹿《しか》が大好きだよね。ウサギを血で煮込んだ料理があるけど、あれは僕でも食べられないね。そもそも日本人っていうのは……」

これが最近日本の男が皆しているように、ワインの講釈をされたらたまらないが、幸いなことに、ほとんど彼は酒を飲まない。ソムリエにこう命じるだけだ。

「こちらのマダムに、何か選んでさしあげてくれ」

そう高くはないが、ソムリエが「最高の年」と言う五年前のボルドーは、厚子がひとりでたいらげてしまった。

「これさ、めっちゃくちゃおいしいよ。私、ワインのことはわかんないけど、おいしいかまずいかははっきりわかる」

厚子はグラスを肘《ひじ》より高く掲げ、シャンデリアを透かして見た。アール・ヌーボーそのままの店内は、ぼんやりと暗く、シャンデリアとろうそく、女たちの宝石が光っている。まるで映画みたいだと厚子は思った。六本木の仲間の女たちの多くは、こういう世界を垣間見《かいまみ》たいために、そう好きでもない男とつき合っているのか。自分は違う。目の前の男が好きだ。愛している、という言葉はどういうこと以上をさすのかよくわからない。しかし好きだというのは確かなのだ。それが証拠には、五十嵐の外見やお喋りが日ごとにあまり気にならなくなっている。

「キレイなあかり……」

かなり酔っているのかもしれないと厚子は思う。この名画の世界に入り込んで、自分はすっかり酩酊《めいてい》してしまったようだ。

「アッコ、こっそりあたりを見てごらん」

五十嵐がいくらか声を落として言った。

「このレストラン中の男がアッコのことを見ているよ」

「まさかア……」

グラスから目を離すと、確かにまわりのテーブルの男たちが、ちらりちらりとこちらに視線をおくっている。

「日本人の女なんて、珍しいはずないのに」

「馬鹿《ばか》だな、アッコが綺麗《きれい》だからにきまってるじゃないか」

五十嵐はテーブルの上で、厚子の手を握る。自分の女だと誇示するこの動作は、パリのレストランではごく自然のことであった。

「だから僕は、厚子をパリに連れてきたかったんだ。何度も言っただろう。フランス人も厚子を見たら、おおっと思うって。こっちでもこんな風にゴージャスでいい女はめったにいないんだ。いいかい、アッコの美しさっていうのはグローバルなものなんだよ。明日はもっと買物をしようよ。このジャケットもいいけど、こういう店ではもっと肌を出した方がいい。ジャン・ルイ・シェレルとかバレンティノのドレスがアッコには似合うよ。そうだよ、アッコはもっと着飾った方がいいんだってば」

「まるでマイ・フェア・レディよね」

「いや、いや、アッコは最初から可愛《かわい》くっておしゃれだった。貧乏な花売り娘じゃないさ」

パリで五十嵐は、惜しげもなく厚子に金を遣っている。高級ブランド店に行くたびに何か買ってくれるので、厚子のスーツケースはもうパンパンに膨れ上がっている。

「大丈夫だよ。田端の自家用ジェットに乗れば、めんどうくさいイミグレーションも手荷物検査もない。タラップにそのまま車が横づけしてくれるんだから」

明日は夕方からドーヴィルへ行き、一泊することになっている。そしてパリに戻って空港から五十嵐の親友の自家用ジェットで、ローマに飛ぶことになっているのだ。

「可愛いよ、アッコ」

五十嵐はフランス人の男がするように、厚子の手の甲に口づけた。

「どんな贅沢《ぜいたく》でもさせてやりたいんだよ」

そうね、と厚子は頷《うなず》いた。パリの男たちが盗み見する今の自分なら、どんなことをしてもらってもいいいと思った。

厚子は「男と女」という映画を見たことがない。

五十嵐が言うには、これに主演したアヌーク・エーメに、日本中の男が憧《あこが》れた時代があったという。五十嵐はタクシーの中で、「シャバダバダ……」と主題歌を口ずさみ、「ご機嫌だね」と、運転手にからかわれた。

フランスを代表する保養地は、思いのほか人が少なく、曇空の下、無人のパラソルが墓石のようにずっと続いていた。砂浜の上に張られた板の道を二人でどこまでも歩く。厚子はパリで買った、肩パッドの大きく入ったクリッツィアのニットに、白いパンツをはいている。ドーヴィルに入ったらこの格好をするようにと、五十嵐がコーディネイトしてくれたのだ。

「ドーヴィルまで来る日本人は少ないね。パリと違って言葉が通じないと楽しめないところだし、だいいち日本人っていうのは、買物や観光は大好きだけど、まだリゾートってことが出来ないから」

「あら、そうなの」

「そうだよ。熱にうかされたみたいに、みんなハワイへ行くけど、行ってすることって言ったらブランド品を買うことだろう。こういう場所でのんびりと一日を過ごすっていうことに慣れてないんだ。それを田端は変えようとしてるんだ」

田端は最近、ローマの有名なホテルを買い取り、リニューアルしようとしている。

そのインテリアを五十嵐がアドバイスすることになったのだ。明日は空港に、彼が自家用機で迎えにきてくれることになっている。どこまで彼が金を出したのか不明だが、この旅行は田端の招待ということになっている。もしかすると、ファーストクラスでやってきた自分の分も負担しているのかもしれない。まあ、こちらが気にすることでもないと厚子は思う。田端は大金持ちなのだ。おそらく鷹揚《おうよう》にすべて払ってくれているのであろう。

夜、五十嵐は厚子をカジノに誘った。ギャンブルは好きではないが、ルーレットは別だ。唯一《ゆいいつ》優雅な賭《か》けごとだからだという。男も女もフォーマルな装《よそお》いを義務づけられていた。厚子はこれまた買ったばかりの、ジャン・ルイ・シェレルのワンピースを着た。グレイの絹のドレープが美しい。

そしてまず五十嵐は厚子に、ルーレットのやり方を教えてくれた。まず小額のチップを賭ける台の前に立つ。間違えて高額用の台の前に立つと大変なことになる。あっという間に大金を失うかもしれない。

「ああいう、いちどきに、何十万を賭ける台はケンゾーさんとかに任せておけばいいのさ」

パリ在住の日本人デザイナーの名を挙げた。

「いいかい、ルーレットっていうのはディーラーたちが、うまく盤をまわしてる。こんな小額の台だったら、彼らの気分でまわってるんだ。だから、チップを置いて自分のところへ来たら、二割ぐらいを彼らに渡すんだ。そうすれば、次も必ずアッコの方にまわしてくれる」

たまたま厚子の選んだ数字に、ルーレットが止まった。言われたとおりに、増えたチップの何枚かを初老のディーラーの方に押しやる。

「メルシー、マダーム」

初老の男は、全く無表情に言った。が、その次、ルーレットは厚子の賭けた数字にぴったりと止まる。

「やったぁ」

厚子はそのチップの四分の一ほどを、また彼に与えた。

「メルシー、マダーム」

そう露骨なことはしないが、三回に一度ほど、彼は厚子の数字にルーレットをまわしてくれるようになった。こうして一時間ほどで、厚子は二千フラン、日本円にして四万円ほどを手にすることが出来た。

「大儲《もう》けしてエルメスのバーキンを買おうっていう目的ははずれちゃったけど、結構いいセンいってたと思わない？」

「ああ、アッコは素質があるよ」

カジノは中年の白人の女が多く、厚子は嫌でも目をひいた。五十嵐は言う。白人の女には、肌は汚なくてあたり前という観念がある。だから日灼けして、シミだらけになった肌も平気で露出する。厚子もシミで水玉模様になった女たちのむき出しの背中や、大きく開いた胸元を不思議なものとして見た。

「ああいうのを宝石で飾って、それがカッコいいって思ってる人種なんだよ。だから日本の女のすべすべした肌を見ると、こっちの男たちは本当にびっくりするんだよね」

今着ているワンピースは、胸元が大きく開いている。大胆とか不躾《ぶしつけ》というのでなく、白人の男たちのやわらかく粘っこい視線が、たえず自分にまとわりついてくるのを厚子は感じた。

「こっちの男の人って、女を見る目がさ、なんかエッチっぽい」

「ふふ、エッチっぽいはよかったな。それはさ、アッコがものすごく魅力的だからだよ」

確かにパリに来てからというもの、厚子はふわりとしたものの中を歩いているような気がする。街を歩いていても、レストランにいても、男たちはたえず自分を見ているのだ。日本でも多くの男たちに賞賛されたけれども、どうやら自分の美しさというのは、世界に通じるものらしい。二十四歳の厚子にとって、この発見で有頂天にならないはずはなかった。

「私、しばらくこっちの方で暮らしてみようかな」

「アッコがこっちに来たら大変だ。たちまちアラブの石油王とか、ヨーロッパの貴族がプロポーズしてくるぞ」

「あ、そういうのっていいかも」

「冗談じゃない。僕が先約だからな」

ホテルまで歩く途中も、五十嵐はことさら意識して、きつく厚子の肩を抱いている。

「先約ってどういうことよ。奥さんのいる人と約束出来るわけないじゃない」

厚子はからかった。

「あっちの方はちゃんとする」

「ちゃんとするってどういう意味」

「彼女はものすごく頭のいい人だからね、僕の立場をちゃんとわかってくれるんだよ」

「そうでもないわよ。すっごい顔してさ、私を突然拉致《らち》していったじゃないの」

「あれは拉致じゃない。アッコとゆっくり話をしたかっただけだって言ってた」

「とにかく私、めんどうなことはごめんよ」

本当にそうだ。もう二度とあんなことはされたくなかった。厚子のまわりでも、本妻と争って、何とか男を自分ひとりのものにしようとする女がいる。厚子はそういう心がまるでわからない。「愛人」という言葉は好きになれないけれども、自分が五十嵐から愛されているのは本当だろう。多分、今の時点なら妻よりも愛しているに違いない。妻というのは、なんと損なものだろうかと厚子は思う。子どもを産まされ、めんどうをみなくてはならない。家事もし、姑《しゅうとめ》や親戚《しんせき》ともつき合うのだろう。そんなことをしても、夫の心が離れていく時は離れていく。本気で愛してもらえ、贅沢もさせてもらえる今の立場を、妻の座と交換する気はまるでなかった。いずれ別れることが決まっている自分たち二人だからこそ、今の時間がこれほど楽しいのだ。本当に愛し合う時だけいられる男と女は、なんていいのだろう。厚子はそういうことを説明したいと思うのだが、うまく言えない。ただ、

「めんどうくさいことは嫌よ」

とつぶやく。そして五十嵐はといえば、

「大丈夫、大丈夫」

とつぶやくのが常だ。おそらく二人とも、全く別の打開策を考えているに違いない。このことについて話し合いをすればよいのだが、厚子たちがするのは、睦言《むつごと》をかわすか、痴話喧嘩《げんか》をするかのどちらかだ。昔から厚子は、人と議論というのをしたことがなかった。


空港に田端が迎えにきてくれていた。彼が若々しいことに驚かされる。学生が着るようなネイビーのジャケットに、真白いポロシャツを合わせていた。厚子は初めて、五十嵐が年よりも老《ふ》けていることを知った。おしゃれに気を遣っているのにもかかわらず、髪がはっきりと後退しているからである。


案の定、田端もそのことに気づいたようだ。

「ヒデちゃん、ちょっと見ないまに、おつむが薄くなったじゃない」

「いろいろ大変なことばっかりでさ」

「そりゃそうさ。娘みたいな女と一緒になったら、世間は黙っちゃいないさ」

「娘とはひどいな」

「早めに結婚すれば、このくらいの娘がいても少しも不思議じゃないさ」

「よく言うよ。再婚して、幼稚園児がいる男がさ」

二人でしばらく憎まれ口を叩《たた》き合った。自家用機というから、パリまで乗ってきたジャンボ機を想像していたのだが、比べものにならない小ささだ。けれども内装は凝っていて、深々と体が埋まるようなソファセットがあったかと思うと、オーク材の書斎机もある。田端はこの自家用ジェットを、アメリカ人の操縦士ごと三十億円で買ったのだ。今度はそれと似たような値段で、ローマでも有数のホテルを買い取ったという。

「どうしてそんなにお金持ちになったんですか」

厚子が問うと、田端はまんざらでもなさそうにニヤリと笑った。金のある人間ほど、単刀直入な言い方が好きなのだ。

「金なんか持っていないさ。銀行が貸してくれる。まるっきり実体のないお金だよ」

親から継いだホテルチェーンを、多少拡大するだけでは面白味がない。土地を担保に銀行から金を借り、ロサンゼルスのホテルを買ってリニューアルした。これがあたって、シンガポールに二つ、ハワイに一つ持つようになった。そして念願かなって、ヨーロッパのホテルを買えるまでになったのだ。

「日本でちょっと土地を持っていれば、このくらい強いことはないね。世界に向かって飛び出していく最大の武器になる。銀行はいくらでも金を貸してくれるからね」

「へえー」

「よく東京の土地全部を買う金で、アメリカ全土が買えるって言うだろう。僕に言わせるとそれ以上だよね。僕がホテルを買収するとわかった時、イタリアの新聞は書きたてたよ。黄金の国ジパングの兵士が、ついにわが国に上陸ってね」

五十嵐ほどではないが、田端もかなりお喋《しゃべ》り好きである。日灼《や》けした顔は艶々《つやつや》としていて、厚子は名前がどうしても思い出せないが、昔の映画俳優でよく似た男がいた。本人はとうに意識しているのだろう。そんな話しぶりだ。

機内で田端はシャンパンを抜いた。彼が言うには、もっと大きな自家用ジェットならば専用のスチュワーデスがいるという。

「自分好みの美女を、自分がデザインした制服を着せて侍《はべ》らすらしい」

「そりゃあ、いいなあ。男の夢だなあ。僕は昔のパンナムの制服を着せたいなあ」

ほとんどシャンパンには口をつけていないのに、五十嵐は酔ったようなことを口にする。田端は職業柄、大層酒が強い。わずか一時間半のフライトなのに、厚子と二人でシャンパンを二本空け、赤ワインも栓を抜いた。

「五十嵐ってやさしいでしょ」

彼が手洗いに立った間に、田端が問うてくる。何の他意もない、やさしい口調であった。

「ええ、すごくやさしいです」

「彼は昔から本当にやさしい男で、慶応でも彼のことを悪く言う男はひとりもいないよ」

「そうでしょうね」

「やさしいだけじゃない。彼は本当にすごい才能に恵まれてる。音楽、建築、美術、何でも通じてて、僕は現代のレオナルド・ダ・ヴィンチだと思ってる」

「それは言い過ぎですよ」

「そうだね。医学が抜けてる」

二人は笑い合った。

「だけどね、彼のやさしさっていうのは、いまひとつシンのないところがあって、見ていて不安なんだ。今の世の中は、ちょっと裏表があっても、強さを持ったやさしさでなくちゃね」

「そうですね」

こういう抽象的なもの言いは、厚子の好みではなかった。

「あの、彼はまだちょっと、あの、問題あるのかな」

「奥さんのことですか」

「いや、そのことじゃなくて。いや、いいんだ、いいんだ」

田端はあわてて話題を打ち切った。

その時のことを、厚子は後でよく思い出すことがある。おそらく田端は、それとなく五十嵐の女のことを尋ねたのだろう。

しかし二十四歳の厚子は、そのことは想像も出来なかった。自家用機のソファにもたれ、あまりにも早くまわるシャンパンに酔っていた。自分の人生は、輝かしいとは言えないまでも、楽しく心地よいものだけが待っていると信じていた。シャンパンの泡は真珠色に光り、眼下にはローマの街が見えた。


田端が買ったホテルは、かつてハスラーをしのぐほどの名門だったという。遺産問題でごたごたが起こり、今はかなり業績が落ち込んでいる。しかし田端が手に入れたからには、おそらく人気ホテルとして甦《よみがえ》るだろう。

「なにしろ田端はさ、ロスのパッとしないホテルを、たちまち世界ランキング六位にしたんだからね」

田端は言う。日本人のホスピタリティと、日本の金さえあれば、世界中どんなホテルもたちまち一流にすることが出来る。

彼が新しく手に入れたホテルは、そう大きくはなかったが、素晴らしいシャンデリアがあるアール・デコ風のロビーと大理石敷きの中庭があった。イタリア独得の美しい色と模様を描く大理石を、厚子はいつまでも眺めていた。最近東京でも大理石をやたら使った建物が増えたが、これほどふんだんに敷きつめられたところは見たことがない。

「地面からして、イタリアってものすごくリッチって感じよね」

けれどもローマはそう楽しくはなかった。男たち二人は、朝から晩までホテルのあちこちを点検したり、イタリア人の従業員と打ち合わせをしている。田端は厚子の「お守り役」ということで、知り合いの日本女性をつけてくれた。昔オペラの勉強に来て、そのまま居ついてしまった四十代の女である。彼女と一緒に買物でもするようにと五十嵐に言われた。

「欲しいものがあったら、後で僕が支払いに行くから」

けれどもその場で手に出来なければ、買物が楽しいはずはなかった。それに考えてみると、五十嵐の方が厚子よりもはるかに買物好きなのだ。ほとんど自分のものは買わず、厚子の胸に洋服やアクセサリーをあてあれこれ指示したり、靴を履かせたりするのを無上の喜びにしていた。あれを買え、これにしろ、という五十嵐がいなくては店に入る気にもならない。仕方なく彼女とお茶を飲んだり、食事をしたりしていたのだが、

「日本ってすごく変わったんでしょ。日本って、いますごい景気なんでしょ」

とあれこれ聞かれるのにはすっかり閉口してしまった。そうかといってひとりで街を歩けば、寄ってくる男たちのしつこいことといったらない。最初の頃は気分よく男たちの視線を受け取めていた厚子だが、ローマでは身の危険さえ感じるほどだ。最後にはおとなしく、自分たちのスイートルームで本を読んでいた。

だからローマからフィレンツェに飛ぶ時は、どれほど嬉《うれ》しかっただろう。フィレンツェは五十嵐から聞いていたとおり、本当に美しい街であった。「花の都」と呼ばれ、広場を囲むドゥオーモの華麗さときたら信じられないほどだ。いたるところに彫刻と花模様が溢《あふ》れていた。

田端の自家用ジェットは、プライベート機だけが着陸出来るフィレンツェ空港の専用地にぴったり機を寄せた。あらかじめ頼んでおいたリムジンが、タラップの下に待機している。税関吏と、イミグレーションの係員が乗り込んできたが手続きはしごく

簡単だ。

「いい休暇を」

税関吏は厚子に流し目をくれた。

五十嵐と厚子、そして田端はそのままリムジンに乗ってホテルへ向かう。車が街の中心部に入ると、狭い道に観光客や車、そして屋台が並んでなかなか進むことが出来ない。

「昔はこんなに人がいなかったのにな。初めて来た二十年前は、観光客はこの十分の一ぐらいだったよ」

「ふうーん、そんな前に来てたんだ」

「ああ、だってうちのお袋が住んでいたからさ」

「えー、ウソー。知らなかった」

五十嵐は時々、重要なことを突然口にするので、厚子は驚かされる。どうやら彼の中で、生みの母のことを話すのと、今夜の食事のことを話すのとは、全く差がないらしい。

「うちのお袋はさ、親父《おやじ》と別れた後はガスパール・カサドっていう有名なチェリストと結婚したんだよ」

五十嵐の母は、原智恵子というピアニストだ。写真で見たことがあるが、目の大きな美しい女である。どうやら彼は、ヨーロッパで何度か母に会っていたらしい。

「そのチェリストはさ、世界中からオファーがあるから、明日はパリ、来週はシドニーっていう生活をしてたのさ。たまにお袋から手紙が来てさ、パリに来ることがあったら会いましょう、なんて書いてあるから、仕事で行くことがあると連絡をとってたよ」

しかしその母親とも、もう七年近く会っていないという。

「そのチェリストももう死んだよ。今はお袋、フィレンツェで元気で暮らしているんじゃないの」

「電話しなくていいの」

「別にすることはないよ。あっちはあっちの生活もあるだろうからさ」

五十嵐の肉親に対する情の希薄さも、厚子を驚かせることがある。かつて自分を捨てた母親に温かい感情を持てないのかと思ったが、どうもそうではないらしい。妻との間の二人の息子とも不思議な距離を保っている。会えば可愛《かわい》がるらしいが、離れている時は、彼らの存在は忘れる。彼らの話題が出ることもなかったし、電話をかけている様子もなかった。自分に遠慮するような五十嵐でもないので、どうやら本当に忘れているようだ。

それよりも彼は、目の前の珍しいものに見惚《みと》れ、それについての知識を披露することに心を奪われているようだ。

フィレンツェでは、五十嵐のなじみの宝石店へ行った。マリオ・ブチェラッティといって、銀と石を組み合わせたものが得意な店だ。五十嵐は車も洋服も好きだが、宝石への愛は女以上のものがある。店の宝石を手にしながら、彼はよどみなく喋り続ける。厚子に何かを教えるというのではない。五十嵐は単に喋ることが好きなのだ、というのが厚子にもわかってきた。

「ニューヨークに、すごく仲のいい友だちがいるんだけど、彼は宝石商なんだよ。宝石商っていっても、そこらの宝石屋じゃないよ。カルティエとか、ブルガリに宝石を卸す会社をしてるんだ。そこへ遊びに行くとさ、いろんなカルティエのアンティークがあるのさ。昔の細工だから、そりゃあ見事なもんだよね。ほら、例のウィンザー公が、シンプソン夫人に贈ったたっていうブローチもあったけど、サファイアをふんだんに使ってて、そりゃあ素晴らしいよな。そこでさ、カラーダイヤモンド見せてくれよ、っていったら、社長が袋ごと持ってきてくれた。中からピンクダイヤがごろごろ出てきた。ピンクダイヤばっかりだよ。その中にさ、ハートのカットダイヤがあったから買ったよ。かなりしたけど買っちゃったな。カルティエでもさ、そういうダイヤ使って、商品つくるってことはしないよ。だってさ、もし売れなかったらすごいリスク背負《し》うわけだから。世界の大富豪が来て、こういうのつくってって言うから、じゃ、つくりましょう、ってことだと思うよ。今度さ、ニューヨークの彼のところでダイヤ買って、ここでデザインしてもらうのもいいと思うよ。オートクチュールじゃなくてビジューデクチュール。こういうのって本当に贅沢《ぜいたく》だと思わないか。今さ、日本の女たちが目の色変えて、シャネルだ、ディオールだって言って、ブランド品を買い漁《あさ》っているけれど、ヨーロッパのいいものっていうのは、もっと深くて重みのあるものなんだよ。カルティエのマジッククウォッチっていうのがあるけど……」

彼が本当に愛して、固執するものが何なのか、厚子にはまだよくわからない。今、五十嵐は自分を愛していると言う。絶対に手放さないと言うが、今たまたま順番がまわってきたような気がする。来年になれば、もっと別のものが彼の心をとらえているかもしれない。しかし奇妙なことに、そのことをそれほど淋《さび》しくつらいことに感じないのはどうしてなのだろうか。

10

そして蜜月《みつげつ》のヨーロッパ旅行が終わり、二人は日本に帰ってきた。旅行の続きのように、ずるずると二人で暮らすことになった。

五十嵐があまりにも忙しいので、部屋を探す時間がない。厚子は居直ってホテルオークラで暮らすことにした。五十嵐がホテル側にきちんと話をしてくれ、もう従業員が、厚子をちらっと見ることもない。五十嵐がいない昼間はホテルのプールで泳いだり、テラスカフェでお茶を飲んだりする。正式な宿泊客となり、フロントが「お帰りなさい」と声をかけてくれるようになれば、ホテル暮らしは快適だ。毎日掃除もしてくれるし、シーツも取り替えてくれる。食事に行くのがめんどうならば、ルームサービスをとることも出来る。しかし一ヶ月の明細書を五十嵐から見せられ、厚子はひえーと声をあげた。ふつうの家族だったら、半年はらくに暮らせる金額だ。

今のところ五十嵐の仕事は途切れることはない。企画したアルバムはどれもあたり、空間プロデューサーとして、新しい店舗を幾つも抱えている。はっきりと金額を聞いたことがないけれども、毎月かなりの額が五十嵐の口座に振り込まれているらしい。

ある日、ホテルのアーケードの本屋で、雑誌を立ち読みしていた厚子は、ハロウィンの記事を見つけた。確か五十嵐とつき合い始めた頃、表参道で仮装して練り歩く白人のグループに会った。

「そうだ、もう一年たつのだ」

あの時、自分の心に従い、五十嵐にもはっきり言ったはずだ。奥さんがいる人とずるずるつき合いたくはない。だから一年という期限を決めるのだと言い、それは彼の妻を怒らせた。

そしてもうじき、昨年彼と初めて関係を持った時と同じ季節が来ようとしていた。

「ま、それも仕方ないかもしれない」

まわりの女たちを見ていても、きちんと潮時は考えている。金をたっぷりと持った妻ある男とつき合った女たちは、大学卒業、あるいは結婚を機に別れを告げる。中には、たっぷり男に金を遣わせ、美しく磨き抜かれた女子大生が、民放のアナウンサーになった例もあった。これなどは最も賢い女のエピソードとして、仲間うちの話題になっている。

日本のこの好景気は、いつまでも続くことだろう。男たちはずっと金を稼ぎ続けるだろう。だが、同時に自分も年をとっていく。そのことを女たちはみんなわかっている。だから注意深く別れどきを狙《ねら》っているのだ。修羅場が起こったという話はあまり聞かない。男たちはその時、いったんは悲しむもののすぐに次の若い恋人をつくるからだ。けれどもたったひとつこんな話が伝わっている。

レストランやクラブをいくつも持つ、大金持ちの中年男を愛人にしている女がいた。アルバイトにモデルをしていたOLの彼女は、美しさはなかなかのものだった。年は離れてはいたが、二人は大層仲がよく、一時は男が妻と別れて、彼女と結婚するのではないかという噂《うわさ》が立ったものだ。

けれども彼女は、新しい若い恋人が現れたのを機に、彼と別れることになった。そういう時は、心よく送り出してやるのが大人の分別のはずなのだが、男は違った。ある日女の元に、ぶ厚い領収書の束とメモが送られてきた。そこには三年間にわたって、彼女のために使った金額がこと細かに記されていた。洋服代や旅行の費用はもちろん、二人で飲んだコーヒー代まで請求されていたというので、これは一種の怪談話のように伝えられている。

五十嵐がまさかこんな吝嗇《りんしょく》なことをするとは思えない。別れる時は、きっと綺麗《きれい》にさっと身をひいてくれるだろうと、厚子は勝手なことを考える。

そうなると、次はどうしたらいいのだろう。五十嵐と別れた後、ひとりぼっちになるのは、どうしても避けなければならない。ここでまた邦子の言葉が、呪詛《じゅそ》のように甦る。

「あんたなんか、一生まともな結婚出来ないんだからね」

本当にそうなのだろうか。自分はもう、ふつうの人生など望めないのだろうか。厚子にしてはかなり珍しいことであるが、しばらく不安な思いにとらわれた。果して自分は、非凡な人生を望んでいたのかと問うてみる。そんなことはない。貧乏はまっぴらだと思うことはあっても、それは特殊な男たちを求めることとは違う。自分はふつう以上の、金と暮らしを望んでいただけではないか。そして自分の若さと美しさとだったら、それは決して分不相応の望みではなかったはずだ。

「そう、高志ぐらいでよかったんだもの」

口に出して言うと、それは真実のように思われた。慶応を出て、日本の一流銀行からこのあいだ外資の証券会社に移ったばかりだ。「先見の明」があると皆が言っている。英語が出来るからそういうことが出来るのだ。実家が金持ちの高志は、子どもの頃から英語を習い、大学生の時には私費留学している。日本ではまだエリートと高収入とが比例しないが、高志は別だろう。実家も金持ちだし、将来も安定している。

「そう、高志でよかったんだ」

いや、まだ間に合う。このあいだも電話でとりとめのない話をしたばかりだ。これは乗り替えるのではない。元に戻るのだと厚子はひとりごちた。

ゴッホの名画を、日本の金が百二十五億円で買った。日本中に渦まいている金をめざして、世界の証券会社や銀行が様子をうかがっている。高志が転職したのは、そのひとつ、アメリカで最も有名な証券会社だ。高志が言うには、今は法規制が厳しく、どの会社も目立った動きは出来ないが、将来のために英語を喋《しゃべ》ることが出来る有能な人材を、それこそ必死で探している。だから自分のようなキャリアの者にも、声がかかったというのだ。給料は年俸制で、自分はまだそこまでいっていないが、三十過ぎたばかりで、三千万、四千万の年収がある者はそう珍しくないそうだ。

「四千万！」

十二で割ると、三百四十万ぐらいか。そんなに高い給料をとるサラリーマンがいるとは、今まで厚子は知らなかった。

早川にしても、五十嵐にしても、サラリーマンのことを「勤め人」と呼んで馬鹿《ばか》にしていた節がある。

「彼らは、これといった才能は何もない。ただ黙々と人に使われていって、その中で必死で自分の居場所を見つけるだけの人種なのさ」

けれども「外資」と呼ばれる一連の外国の会社は、今までのサラリーマンの概念をうち破った。能力あるものはいくらでも報酬を貰《もら》えるシステムは、若く能力がある者には、たまらなく魅力だったろう。けれどもまだ日本の会社にしがみついている者にとっては、「外資」というのは、わけのわからぬ人間性を奪うものになる。

義父の進は、どこかの週刊誌で読んだような知識らしく、こんなことを言ったことがある。

「ああいう外資に勤めている人間は、そりゃきついらしい。結果が出なければ、明日からもう来なくてもいいって言われ、ノルマを果たすのにそりゃあ頑張る。ノイローゼになったり、自殺する者も多いそうだ」

高志に尋ねたところ、

「そんなの嘘《うそ》だよ。まるっきりの出鱈目《でたらめ》とは言わないけど、大げさに言い過ぎだ」

と笑われた。

「そんなやわな人間は、最初から外資に来ないよ。日本の企業じゃ飽き足らなくって、ちゃんと自分を試したい、っていう者が来るんだからさ。だからもし自分に合ってない、って思ったらすぐに辞めるよ。あっさりとね。別にノイローゼになったり、自殺したりするほど悩んではいないよ」

そんなことを話してくれたのは、青山にある会員制クラブのバーであった。西武とNTTとが共同出資したこのクラブは、スポーツジムの他に、レストラン、バー、ホテル、宴会場と、さまざまな施設が備っている。おまけに会員は、年に二度、隣りの東京女子医大の附属病院で徹底的な人間ドックが受けられる仕組みだ。一千万円の入会金が話題になったが、高志は内容を考えれば決してべら棒な値段ではないという。

ただしいくら高給といっても、二十代の高志に一千万円が払えるわけはなく、彼は父親の家族会員になっているのだ。高志の父は、財閥系の商社の、その系列会社の副社長をしている。母方の祖父は戦後活躍した有名な駐米大使で、苗字《みょうじ》を言えば誰でも知っている。育ちも学歴も、容姿も、どれをとっても高志は、サラブレッド中のサラブレッドと言っていい。

彼は厚子にとって、二番めの男性ということになる。まだそれほど慣れていなかったし、彼の方も経験豊富だったわけではない。いわば二人で手さぐりで、快楽の冒険の道を歩いていったようなところがある。だから高志に対しては、粘っこい感情と同時に、友情にも似た甘い思いとがある。いずれにしても「特別の男」ということに変わりない。

以前ふつうの女子大生だった頃には、自分も何の屈託もなく、高志とつき合うことが出来た。「いずれ」とか「いつか」という曖昧《あいまい》な言葉で、プロポーズされたこともあった。けれども今の自分ときたらどうだろう。悪名高い地上げの帝王の愛人として、写真週刊誌に顔と本名をさらした。その後は妻子ある男との同棲《どうせい》を続けている。世間から見ればとうに「資格なし」ということになるだろうが、厚子はまだ諦《あきら》めてはいなかった。

このあいだも厚子は電話で彼に訴えた。

「私、本当にもうお終《しま》いにしたいの。本当にもう嫌なのよ」

ヨーロッパ旅行は大層楽しかった。英語、フランス語を駆使する五十嵐に見惚《みと》れ、本当の贅沢を教えてくれようとする彼に、心から感謝した。

けれど「祭り」が終わり、残ったものは何ともいえない空虚さだ。二人が住んでいるところは、ホテルオークラの一室で、狭さがだんだん鼻についてきた。もっと広いマンションに引越したいのだが、五十嵐が正式に離婚していないため、身動きがとれないのだ。

「いずれちゃんとするから」

と五十嵐は言うけれども、内心この生活を楽しんでいるのではないかと、厚子は思うことがある。しっかり者で大金を稼ぐ妻がいて、二人の子どもをしっかりと育ててくれている。そのうえで自分は若い愛人を持ち、自由にヨーロッパに旅行したりする。そんな暮らしを、実は五十嵐は得意がっているのではないだろうか。

五十嵐のことは好きだし、愛しているのではないかと思うこともある。けれども厚子はこのまま自分の若さが失われたり、時機を逃すのが嫌なのだ。

そんな時、ショックなことがあった。「キャンティ」でよく顔を合わせ、何度か一緒に食事をしたこともある、女優の荻野《おぎの》目慶子《めけいこ》の不倫相手が自殺したのである。しかも彼女の部屋で首を縊《くく》るという陰惨さが大きな話題となり、ワイドショーに彼女の顔が出ない日はなかった。相手は売れてるのか、才能があるのか、よくわからないレベルの映画監督である。かねてより仕事に悩んでいたとワイドショーのレポーターは言ったものだ。

「サイテーの男。死にたけりゃ、自分の部屋で死ねばいいじゃないの。それをさ、相手の女のところで死ぬなんて、どんなに迷惑がかかるか、わかんないわけでもないだろうに」

厚子は五十嵐にも言ったものだ。この事件のおかげで、荻野目慶子はすっかり「魔性の女」ということになってしまった。厚子は彼女の、こづくりの綺麗な顔を思い出す。確かに美人で色っぽい女であるが、「魔性」と呼ばれるような得体の知れないものはなかったような気がする。

「そうさ、〝魔性の女〟ぐらいあてにならないものはないさ。アッコだってさ、さんざんそう言われてたんだから」

五十嵐はそう言って厚子を笑わせるが、以前ほどおかしくはない。北海道生まれの自分の健全さが、ゆっくり頭をもたげてきたのだろうか。厚子はこの頃つくづく妻ある男とのつき合いが嫌になってきた。世間からあれこれ言われ、妻には憎まれる。めんどうくさいことばかりで、あまりにわりに合わない。ヨーロッパ旅行で、少しは得した気分になるかと思ったが、そうでもなかった。

「もう一年が過ぎているのよ、約束の一年がね」

と厚子は高志に言った。

「でもね、相手は絶対に別れないっていうの。だからって言って、奥さんと離婚する気もないのよ」

彼は言った。

「アッコはやさし過ぎるんだよ。昔からそうだ。やさし過ぎるくせに、いつも危ない方、危ない方にばっかり歩いていく。僕はいつもハラハラして見てたよ」

ああ、なんてやさしい言葉なのだろうと、厚子はすっかり嬉《うれ》しくなった。同時に、まだ間に合うという確信を持つ。


高志が指定してきた店は、青山の青南小学校近くのイタリアンレストランだ。こちらは上の階のヨーロッパの書斎を模したクラブと共に、会員制になっている。最近の東京では、やたら会員制が増えた。「ヤング・エグゼクティブ」を対象にしたというこのクラブは、入会費がそう高くない替わりに、入会資格が厳しく、いわば異業種交流の形をとっている。たった百人しか会員はいない。こんな贅沢《ぜいたく》なことが出来るのは、節税のためにどこかの人材派遣会社がスポンサーになっているからという話だ。

半年ぶりに会う高志は、少し太ったようだ。以前には着ていなかったブルックスブラザーズのスーツだが、それはあまり彼に似合っているとは言えなかった。

「見るからに外資の証券マンっていう感じ」

厚子が言うと、

「本当にそうだから仕方ないさ」

と笑った。電話では愚痴をこぼしたが、厚子は食事中、五十嵐の悪口を言わなかった。よく同情をひこうと、今つき合っている男のことを悪く言う女がいるが、そういうのは好きになれない。そんなことをしなくても、高志が充分自分に惹《ひ》きつけられているのがわかる。

「アッコってさ、本当に綺麗になったよね。前も綺麗だったけど、なんか綺麗さの格が違うっていう感じだよ」

「ありがとう」

ローマで買ったクリッツィアのワンピースを着ていた。厚子は胸ぐりの大きい服が好きだ。肌のなめらかさには自信があるし、両の乳房がつくる谷間は、豊かだけれども決して下品にはならないギリギリのところだ。酒を飲んでいたり、食事をしている最中、男の視線が次第にここに集まってくる感じがとても心地よかった。

店を出るなり、高志は腕をからめてきた。そしてフロムファーストビルの、階段の陰で唇を押しつけてくる。その手順が以前よりずっとスムーズで、

「すっごく修業を積んだみたい。ちょっと会わない間にさ」

厚子はからかいの言葉を口にした。

「バカ言えよ。ずっとアッコのことを考えてたんだよ」

「ねえ、私と別れたの後悔してる」

「別れたつもりはないよ。ちょっと時間を空けただけさ」

「よく言うよ。ずっと電話もくれなかったくせにさ。私がしなきゃ、それっきりだったでしょう」

「だって仕方ないじゃんかよ。アッコは別の男と暮らしてるんだから、そんなところに電話かけられるわけないよな」

五十嵐が使っている携帯電話のことをちらっと思い出した。あれほど大きく嵩《かさ》ばらず、あれほど高価でなかったら、すぐに手に入れるのに。そうしたら他の男とも自由に連絡がつくのにと思う。

「だからさ、あの人とはもうじき別れるのよ。一年っていう期限つきだったんだから」

「本当に出来るのかな」

「出来るってば」

厚子は断言した。

「だってそういう条件でおつき合いを始めたんだもの。そういうのって約束違反じゃないの」

「信じていいのかな」

「もちろん」

「だって僕はさ、アッコに手ひどい目にあってるからな」

「ひどい。私が何をしたっていうのよ」

「だってそうじゃん。次々とおじさんたちとつき合うじゃないか」

「だからさ、時々は間違いをしちゃうのよ。だけどすぐに間違いに気づくからいいじゃないの」

小さな諍《いさか》いをしていく間に、気分はすっかり学生時代に戻っていく。そしてごく当然のように、二人はホテルへと向かった。

彼はタクシーに乗るなり、赤坂プリンスと告げた。

ここは高志と何度か来たことがある。お互いに学生だったから、誕生日といった特別の日しか使ったことがない。が、そんな時は目いっぱいに部屋で楽しんだ。バスタブに泡をいっぱいつくり、二人でキャーキャー騒ぎながら入った。

「ねえ、知ってる。村上龍《りゅう》の小説の中に、この赤プリに女と来るシーンがあるよ」

高志が言い、小説と同じ姿勢で厚子を窓際《ぎわ》に立たせたこともある。それはすっ裸で、足を大きく開き、後ろ向きで立つのだ。そうすると厚子の形のいい、大きな尻《しり》は突き出される。それがたまらないと、高志は後ろから突いてきた。東京の夜景を眺めながら二人は交わる。他の部屋から誰かに見られているかもしれないという興奮で、高志はあまりにも早く果て、それが不満といえば不満だった。

けれども今日の高志は違う。あの時と同じような姿勢はとらせず、ただふつうにベッドに倒れ込んだ。けれどもいろんなことが違っている。はるかに辛抱強くなり、細かなテクニックを身につけている。

「すっごくうまくなったじゃん」

厚子はささやいた。

「アッコだってさ……」

年上の男たちに仕込まれてと、ふつうの男だったら口にしたかもしれないが、高志の育ちのよさが彼を無言にした。しかし彼は、厚子が待ち望んでいたもの、とても欲しかった愛の言葉を口にする。

「アッコ、本当に会いたかったよ」

「私も」

「僕はやっぱりアッコがいちばん好きだ。ずうっと忘れられなかったよ」

「やったね」

アッコは思わず口に出し、こいつ、と唇をふさがれた。

「お前はどうして、まっとうな道を歩けないんだ」

さんざん義父の進から言われたものだ。

「ふつうの女が、ふつうにやってることがまるで出来やしない。なんで人さまから後ろ指をさされるようなことばかりするんだ」

ふつうの女が、ふつうにやっていることというのは、結婚して子どもを産み、育てることらしい。

自分はそういうものに対して嫌悪《けんお》したり、疑問を持ったことなど一度もないと厚子は思う。いずれ自分も、結婚して母親になるのだとぼんやりと思っていた。ふつうの若い女が考える程度にだ。

ところが二十歳の時に、地上げの帝王と呼ばれる男に執拗《しつよう》に口説かれ、つい誘いにのってしまった。そのおかげでマスコミにさんざんな目に遭わされたのであるが、今度は五十嵐である。

彼は妻子がいるくせに、激しく自分を求めたのである。厚子の方から彼らに近づいていったわけではない。手を替え品を替え、彼らは厚子の心をとらえようと迫ってきたのだ。

拒否することはいくらでも出来たろう、と言う女がいた。そういうのは、男から狂おしく愛されなかった女だ。一度自分のような目に遭ってみればいい。ほとほと疲れ、呆《あき》れ、しまいには笑ってしまう。するとその隙《すき》に、男たちは厚子を手中に収めるのだ。こんなことを目の前の高志に説明することが出来たら、どんなにいいだろうかと厚子は思った。しかしこれは二つの意味で損だ。

ひとつめは、話の性格上、男たちの悪口を言わねばならず、それは厚子の好みではなかった。

ふたつめは、自分の男性関係を、高志に再確認させてしまうことだ。

だから厚子は、高志と会う時は友人の噂《うわさ》話をし、最近見たテレビ番組に話題を移す。

「みんなさ、『東京ラブストーリー』のリカが好きだって言うけども、私、なんかイヤだな。ものすごく自分勝手で、好き放題のことしてるじゃない」

高志は微笑《ほほえ》んだ。外資の証券会社に勤める彼は、トレンディドラマなど見る暇はないのだが、厚子があまりうるさく言うので、最近ビデオに録《と》って見ているのだ。

「そうかなあ、僕、鈴木保奈美《すずきほなみ》って好きだなあ。あの生意気そうな、鼻にかかった声がたまらないよ」

「男の人って、みんなそういうこと言うけどさ」

厚子は唇をとがらせた。

「やっぱりあんなコが、近くにいたらたまらないわよ。ほら、昔よく一緒に遊んでたコで、ユキエっていたじゃない。千葉の医者の娘で、毎晩高速をぶっとばして六本木に来てたコ、あのコと似てると思わない。今はニューヨークに住んでるらしいけど、あれって、典型的なリカタイプよ」

「そうかなあ、僕はリカって、アッコによく似てると思うけどな」

「ひどいじゃん」

静かな創作フレンチの店だというのに、厚子は大げさに身をのけぞらせた。

「私、あのコみたいに変わってないわよッ」

「そんなことはない。アッコだって充分に変わってるよ。何ていうかさ、他の女の子とまるっきり違うんだよ。黙って座ってても他の女の子と違うってことがわかるし、喋《しゃべ》り出すと、まるで違うことがよくわかる」

高志はテーブルの上で、静かに厚子の手を握る。それで今の言葉は誉《ほ》め言葉だというのがわかった。

「あのさ、カンチがさ、リカのこと、困ったやつ、って思いながらどんどん惹かれてくのってわかるよな。僕にとってアッコがそうだよ。昔よりも、ずうっとずうっとアッコのことをいいな、って思う」

「さんざん、おじさんにオモチャにされた、身が汚《けが》れた、こんな魔性の女でもいいの」

厚子はふざけて言う。こう言い放つと、高志はちょっと苦し気に眉《まゆ》をひそめる。その表情を見るのが好きだった。

「そんなの関係ないよ。アッコに何があったって、今のアッコに変わりないよ」

「そういう、ドラマに出てくるようなセリフを言うと、後で後悔することになるわよ」

「そんなことはないさ。そりゃアッコが、僕とつき合った後で、他の男たちともつき合ったのは残念だけど、その時はまだ僕に、アッコをひき止める力がなかったんだと思う」

本当に高志というのは、どうしようもないくらい〝いい人〟なのだと思う。以前はこうしたやさしさや穏やかさがもの足りなく感じたことがあったが、今となってみるととても貴重なものに思えてくる。ふつうの男だけれども、品がよく育ちのいい男。ふつうのサラリーマンであるが、日本の企業では考えられないような収入を手にする男。この頃合いが、今の自分にぴったりだと思う。

日本で何番めかの金持ちと言われた男は、自分にたいしたものをくれなかったではないか。今をときめくプロデューサーと言われる男は、妻と別れてくれない。持っているものと、与えるものとは決して比例しないということを、さんざん思い知らされてきた。

「僕たち、これからちゃんとつき合おう。空白になっちゃった分も、ちゃんと埋めよう」

ウン、と厚子は素直に頷《うなず》いた。

食事を終えた後、厚子は高志を自分の部屋へと誘う。前回のようにホテルでセックスするのもいいが、高志とは昨日今日の仲ではないのだ。学生時代から狎《な》れ親しんだ男と、ホテルを使うのは、やや他人行儀のような気がする。

そのつもりで、家を出る時にきちんと片づけてきた。掃除は苦手だけれども、フローリングの床を拭《ふ》き、生ゴミもマンションの収集所に捨てておいた。

二人でタクシーに乗る。

「アッコの部屋、なんかおっかないなー」

手を握ったまま、高志がささやく。

「どういう意味よ」

「ものすごく巨大なヌイグルミとかありそうな感じだよ」

男がいたらどうしよう、などと高志が言ったら怒るつもりだった。しかしそんな下品な冗談を言う男ではない。

狸穴《まみあな》の坂を降り、有名なSMホテル「アルファ・イン」の近くに厚子のマンションはある。コンクリートとガラスで出来た新しい建物だ。

鍵《かぎ》を開ける。その時奇妙な感じがした。鍵はかかっていたものの、何かスルリとした手ごたえがあったからだ。

ドアを開けた。あれ、あかりを消さずに家を出たっけ、と厚子が考える間もなく、五十嵐が姿を現した。あーっと厚子は声をあげる。彼に合鍵を渡していたことなど忘れていたのだ。

「その男は誰だ」

酒を飲まない彼が酔っているはずもないのに、呂律《ろれつ》がよくまわっていない。

「どうして、その男がここにいるんだ」

「あなたには関係ないでしょう」

ここで怯《ひる》んではいけないと厚子は思った。おびえたところを見せたりしたら、もう二度と高志は戻ってこないだろう。

「ここは私の部屋なんだから、誰と一緒にいようと勝手じゃないの」

「おい、君、僕が誰だかわかっているんだろう」

五十嵐は厚子を無視して、高志の方に向かっていった。

「アッコと僕とがどういう仲だか、知らないわけじゃないだろ、えっ」

小柄な五十嵐が高志の胸ぐらをつかもうとする様子は、不気味な迫力があり、やめてよと厚子は金切り声をあげた。

「その人は関係ないでしょ。手を離しなさいよ」

「五十嵐さんですよね。もちろん知ってますよ」

高志の声の明るさはこの場に全くそぐわなかった。女の部屋で、もうひとりの男に凄《すご》まれ、これほどのんびりとした声が出るものだろうか。

「僕は安藤と言いますが、僕にもあなたと同じことを言う権利があると思いますよ。だって僕は、アッコとは学生時代からの古いつき合いなんです」

「だからって、人の女になった者に、ちょっかい出す、なんてことしていいと思ってるのか」

「それって、おかしな言い方だと思いますよ。だってあなたには、奥さんも子どもさんもいるんでしょう。だったら、アッコがどうしてあなたのものになるんですか」

「おかしな理屈を言うんじゃない。お前、アッコともう寝たのか。人の女と寝たのかって聞いてんだよ」

目が赤く充血している五十嵐に、厚子は息を呑《の》む。饒舌《じょうぜつ》というよりも、たえ間なく喋り続けるのが特徴の彼だが、これほど下品な語彙《ごい》を聞くのは初めてだった。それにつられて、高志の方も荒い言葉を使うようになった。

「あなたみたいな男に、お前呼ばわりされる憶《おぼ》えはないよ。あなたこそ変わってんじゃないの。家庭持ってる中年男が、若い女を追っかけまわしてる、その恥ずかしさを思い知ったらどうなんだ」

「このヤロー、その口のきき方はなんだ」

五十嵐は背伸びするような格好で、高志のネクタイをつかんだ。紺と赤のレジメンタル・タイは激しく左右に揺れた。

「やめてよ、やめなさいってば」

厚子は男二人の間に入り、五十嵐の手を思いきり強くひっぱった。ようやくネクタイから離すことに成功した。

「高志、早く帰って」

が、早く帰って、という言葉はあまりよくないと判断した。これでは彼を間男扱いしているようなものではないか。

「早く逃げて」

高志は何か言いかけたが、片手でタイを直しながら、すばやくドアから出ていった。

これで高志を失ってしまうことになるのか。いや、そんなはずはない。高志はあれほど激しく自分のために争ってくれた。自分を渡したくない証拠ではないか……。

とっさにあれこれ思いをめぐらす厚子に隙があったようだ。後ろから肩をつかまれた。折れるかと思うほど強い力で、五十嵐の方に向かされる。噛《か》みつくように五十嵐は唇を重ねてきた。

「やめてよ」

首を大きく振り、唇から逃れた。

「ちょっと、五十嵐さん、今、自分が何をしたかわかんないの!!」

彼は無言で厚子のニットの衿元《えりもと》に手をかける。衿ぐりが大きいニットを着ていたのがわざわいして、いっきにブラジャーがむき出しになった。

「やめてよー、このケダモノ」

五十嵐はひと言も発しない。あのお喋りの男が言葉を出さないことによって、力を内に籠《こ》めたかのようだ。男にしては小柄な五十嵐の、どこにこんな力があったかと厚子は驚き、身をよじった。が、今度は後ろから羽交い締めにされ、床に押し倒された。そしてスカートをめくられる。

「本当に怒るよ、このスケベ親父《おやじ》！」

とことん抵抗するつもりだったが、しばらくしてやめた。ドアを誰かが叩《たた》いたからだ。女の声だ。ヒステリックに叫んでいる。

「こんな真夜中に、いいかげんにしてください。警察呼ぶわよ」

義父の言う「まっとうな道」という言葉を、頭の遠くで思い出した。

11

「それから高志さんとは会ったんですか」

作家の秋山聡子が、鮨《すし》をつまむ手をとめて聞いた。小説のためにまた話を聞きたいと、呼び出されたのは、新富町の鮨屋だ。ここは座敷に職人がガラスケースごと持って来て鮨を握ってくれる。カウンターではなく、ゆっくり話が出来ると聡子は言うのだが、さっきからコハダの握りに気をとられているようだ。しかし油断は出来ない。女の作家は興味のないようなふりをして、舌なめずりするようにこちらの話を聞いているのだ。

「その後、彼、出張になって一ヶ月半、アメリカに行ったんです」

「あら、それは残念だったわね」

「でも、私が電話で謝ったら、気にすることはないって。どんなことがあっても、自分はアッコを諦《あきら》めないって」

「それはよかったじゃないですか」

　編集者の奥成菜々子が、間の抜けた大声を出す。

「それから彼と久しぶりにデイトすることにしました。彼は私にお土産だってバッグを買ってきてくれました。ニューヨークで流行《はや》りのMCMでした。私はとても嬉《うれ》しかった。やっぱりこの人しかいないと思ったんです。でもその夜、私、飲んだワイン全部吐いたんです。それでも苦しくって苦しくって、ゲエゲエやりました。もうその時は直感でわかりました。妊娠してるって。あの時の子どもだって。五十嵐さんはあの時、ちょっとおかしくなったみたいな感じでした。いつもは必ずつけてくれる避妊具もちろんつけてません。危ない日でした。だけどまさか、と思ったんですけど、やっぱり来たか、って……」

「それが今のご長男ですよね」

「そうです」

聡子のためにコハダを握り続けていた職人の手が一瞬止まった。

妊娠を告げた時、五十嵐はへえーっと、さも意外そうな声をあげた。その声の明るさと呑気《のんき》さからは何の責任も重みも感じることが出来ず、厚子は怒りの声をあげた。

「何よ、その言い方」

「いや、僕はちょっとびっくりしただけだよ」

「堕《お》ろせって言うわけ」

「そんなこと言うわけないじゃないか」

五十嵐は目を丸くして厚子を見る。その茶色がかった虹彩《こうさい》に何の邪気も企《たくら》みもない。

「アッコと僕の子どもなんて本当に嬉しいよ」

その言葉に嘘《うそ》はないと思うものの、この男はいったい何を考えているのだろうかと厚子は尋ねてみたくなる。彼には妻と二人の子どもがいる。いずれきちんとするからというものの、五十嵐は妻と離婚するつもりはないようだ。

「僕の奥さんはとても頭がよくて素敵な人だから、僕の生き方をわかってくれているんだ」

という言葉を何度か聞いた。つまりアーティストとしての自分を尊敬してくれているから、愛人をつくることも了解してくれているということらしい。

だが妻のミキの方は、それほど割り切った考えを持っているのだろうか。いつか突然声をかけられ、

「いったい何を考えているの」

と詰め寄られたことがある。あの時、妻の表情に表れていたのは、憎しみ以外の何ものでもなかった。そんな妻に対して、

「僕の生き方をわかってくれているんだ」

という五十嵐は、お気楽というしかない。が、ミキの方にも計算があるらしいと、この頃少しずつわかってきた。彼女と五十嵐との間に生まれた下の子は、昨年小学校受験だったらしい。「お受験」という言葉が生まれ、東京の豊かな層では、私立の有名な幼稚園や小学校を受験するのがあたり前になっている。そのためにもミキは、受験前に子どもを片親にしたくないらしい。それだけではなく、ミキの女優としてのイメージもある。かつては水着姿で人気を博し、「小悪魔」とか「妖精《ようせい》」と言われたミキも、四十代になって着実に演技派への道を辿《たど》っている。これには妻であり、母であるという事実が評価の根底にあるようで、ミキはこれを捨てたくないのではないか、

仮面夫婦でもいいから、とにかく妻の座は絶対に守りたいのではないかと、厚子は意地の悪いことを考える。

というのも、

「私と五十嵐さんとは、一年で別れる約束をしていますから」

と告げた時の、ミキの言葉を未《いま》だに憶えているからだ。

「あなた、そんなことを言って自分に恥ずかしくないのッ」

とミキは睨《にら》みつけた。全く他人にあんなことを言われる憶えはないと厚子は思う。が、約束の一年はとうに過ぎてしまっている。そしてこの状態だ。あの妻をもっと怒らせることになるのはなんとも口惜《くや》しい。一年ですっきりと別れることは出来なかった。

「ほら、ごらんなさい。私の思っていたとおりの女だったわ」

と言われることになるだろう。

とにかくぎりぎりまで、妊娠を隠しておかなければならなかった。両親にも知らせないつもりだ。初孫ということになるが、母が喜ぶとは思えない。自分のこと以外には、全くといっていいほど興味を持たない人間だからだ。義父はいつものように憤《いきどお》ることだろう。

「私生児を産むつもりなのか」

ぐらいのことは言うに違いない。

そうか、この子は私生児になるのかと、厚子は自分の腹部を眺める。生理が止まったぐらいでまだ何の変化もない。私生児、私生児とつぶやいてみる。なんというまがまがしい響きだろう。しかし妊娠を告げられてから、一度たりとも中絶を考えたことはない。あまりのことに驚きはしたものの、考えてみれば悪いことは何もないのだ。

五十嵐が逃げたりする男ではないことはわかっていた。きっと認知ぐらいはしてくれるだろう。そして厚子はまだ若く健康だ。ちゃんと働いたことは一度もないけれども、やればきっと骨惜しみすることはないだろう。子どもひとり育てることぐらいきっと出来る。

自分がいつものようにめんどうくさいと思わないのが不思議だった。仕方ないと思う。が、この「仕方ない」という思いが、とても晴れやかで心地よいのだ。

「仕方ない。とにかく産むしかないでしょう」

自分に言いきかせるたびに、じんわりと温かいものが厚子を包む。自分に母性本能というものが芽生えているなどとは信じられない。そんなものは世の中の退屈そうな顔をした女だけが持つものだと思っていた。が、自分にもそのような照れくさい甘ったるいものが生まれていたのである。

「ま、仕方ないでしょう」

厚子はまた口にしてしまう。


まさかホテルオークラで出産の時を迎えるわけにもいかず、かと言って厚子のマンションはあまりにも狭過ぎた。五十嵐は言う。

「広尾のガーデンヒルズに、大阪の友だちが部屋を持っているんだ。前から使ってくれって言われてるんだけど、あそこに引越さないか」

話題のガーデンヒルズは、棟によって価格が違うが、そこは中でもいちばん広く豪華な棟だ。専用の門を開けて中に入っていくと中庭になっていて、まわりに高い樹《き》が植えられている。外部から遮断されたようなこの中庭が、五十嵐も厚子もすっかり気に入ってしまった。

「子どもが出来ても、ここで遊ばせておけるよね」

五十嵐は相変わらず呑気なことを言っている。彼の口からは「離婚」とか「認知」といった言葉は一度も出てこない。自分たちは本当に似た者同士だと厚子は笑いたくなってくる。めんどうくさいことや、やっかいなことはいつも後まわしにする。そして目先の楽しいことばかり考えるのだ。

「あのさ、ベビー用品はやっぱりイギリスがいいよ。ロンドンにさ、王室ご用達《ようたし》の店があってさ、そこの乳母車が最高なんだよな。まるでメリー・ポピンズに出てきそうなものだよ。今度さ、レコーディングに行く時に買ってくるよ。あっちの友だちに頼んで送ってもらったっていいしさ」

そんなことばかり話しているうちに、厚子の腹はどんどん大きくなってきた。風呂《ふろ》に入る時に鏡で映してみると、まるで魔法をかけられたようだ。腹が大きく半円にせり出してきたのである。

「こんなことが起きるなんて、ウソみたい」

厚子は言った。

「どんどんどんどん大きくなってくのよ。もう、冗談でしょ、っていう感じ。自分の体がさ、誰かにのっとられてるみたいよ」

「のっとられるのはいいけど、ちゃんと元に戻ってくれよな。アッコがデブのままだったら本当に困るよ」

厚子の腹が目立つようになるにつれ、五十嵐はやさしくなった。毎日早く帰り、皿洗いや掃除もしてくれる。週に二回、メイドサービスも頼んでくれた。

ガーデンヒルズの中には、高級なものばかり売っている、そう大きくないスーパーがある。二人で買物に行き、カゴの中にあれこれ放り込む。軽い運動をかねて、広尾の商店街にも出かけた。

後で厚子は多くの人たちから言われたものだ。

「随分大胆なことをしてたのね。もっと慎重になればよかったのに」

厚子はまだ人々が、自分に関心を持ち、好奇の目を向けているなどとは考えもしなかった。自分のことなど、人々はとうに忘れていると思っていた。二人が散歩をしていたとしても、まわりの人々はただの妊婦とその夫、と見ているに決まっている。だから自分と五十嵐を、写真週刊誌が狙《ねら》っているとはまるで気づかなかった。撮られた時さえわからなかったのだ。

五十嵐のところには取材が行ったらしい。

「北原厚子さんとのことについてお聞きしたいのですが」

という電話を受け取った時、とっさに怒鳴ろうとしたのであるが、得策ではないと思いすぐにやめた。そしてオフィスに彼らを招いて、じっくり話を聞いてもらったというのだが、そんな誠実さがマスコミの手にかかれば、どんな風にいじられるか、五十嵐は知らなかったとでも言うのだろうか。

「僕の妻は僕のことをとてもよく理解してくれていますから、今度のこともわかってくれると思いますよ」

　という得意のセリフが活字にされてしまうと、どれほど奇異になるか、考えもしなかったのだろうか。

「早川佐吉の元愛人、片岡ミキの夫と同棲《どうせい》、妊娠！」

　という文字が、その週の新聞広告に躍っていた。「片岡ミキ」という名前はたいていの人が知っているし、「早川佐吉」という名も、まだ人々の記憶に新しい。先年失脚したというものの、地上げの帝王と言われ、長者番付に名を連ねた男だ。片や地上げ屋、片や有名女優である。この二つの名がどう結びつくのか。鍵《かぎ》となるのはひとりの若い女らしい。そして多くの人々は、ああ、あんなこともあったっけと、記憶を呼び戻し、さまざまな記号を頭の中で結び合わせるのだ。写真週刊誌は、この二つの名が合わさった時の効果を充分知っていた。だからこの記事はトップになっている。

　五十嵐に取材が行った時から覚悟はしていた。ガーデンヒルズのスーパーへ行き、自分が出ている写真週刊誌を買ってきた。ガムと牛乳と一緒にレジに置いた時、店員が、あ、という表情をしたのは、たぶん気のせいだろう。

　ページを開ける。妊娠八ヶ月の大きな腹をした厚子が、五十嵐を見送っている写真だった。わかった、十日前のことだ。散歩に行くついでに、中庭で五十嵐を見送った。いつもはそんなことをしないのに、中庭まで降り、大きく手を振った。

「いってらっしゃい、パパー」

胎児がピクピク動くようになってから、厚子は五十嵐のことをパパと呼ぶようになった。おそらく植え込みの陰からこちらを狙っていたカメラマンは、その声を聞いたに違いない。

かなり近くで撮ったのか、それともズームというものを使ったのか、厚子の写真はとても大きい。ちょっと腹が目立つように、腰のあたりで切られた写真だ。けれどにっこりと笑う自分の顔は、とても綺麗《きれい》だと思う。こんなに愛らしく晴れやかな笑顔は、ふだんの写真でも見たことがない。自分がとても気に入った顔が、写真週刊誌のショットとは何という皮肉だろう。

「出勤する夫を見送る、出産近い妻。一見幸福な、ありふれた風景に見えるだろう。けれどもこの妊婦が北原厚子さん、夫の方が五十嵐英雄氏と聞けばかなり様相が違ってくる。

五十嵐氏は片岡ミキの夫、二人の間には二人の子どもがいる。あの有名なイタリアンレストラン『キャンティ』の御曹子《おんぞうし》だが、経営は弟に任せ、最近は音楽プロデューサー、空間プランナーとして活躍中だ。そして北原厚子さんの名に憶《おぼ》えはないだろうか。そう、かの地上げの帝王、早川佐吉の愛人として、本誌にも何度か登場いただいた。わずか四年の間に、違う男との関係で二度も世間をにぎわせるアッコちゃん、『魔性の女』の面目躍如といっていい」

まるで他人ごととして読んだ。ここに写っているのは確かに自分だけれども、書かれている記事が違う。自分の名も出てくるし、早川の名も、五十嵐の名も出てくる。早川の愛人だったことも本当なら、五十嵐と一緒に暮らして、妊娠していることも本当だ。

けれども違う、違う、違うのだ。文字に書かれていることは正しくても、事実はまるで違う。文字はただの記号で、起こったことは生きている。死んでいる活字が、どうして生きて動いていることを描写できるのだろう。

「まるっきりデタラメよね。こんなの出ても、どうっていうことはないわよね」

一週間たって別の号が出る頃には、世間の人々はみんな忘れてしまうだろう。どういうこともない、ただの男と女の事件ということで処理されるのだろう。

けれどもこの記事を、世間の多くの人たちは衝撃をもって読んだらしい。

「あのアッコちゃんが再び甦《よみがえ》った」

と書いた週刊誌もあった。それよりもすさまじいのがワイドショーだ。ワイドショーでは早川佐吉の名などどこかへ行ってしまう。

片岡ミキの夫が浮気していて、その愛人が妊娠しているという事実にとびついたのだ。朝、テレビをつけたら、報道陣にとり囲まれ、もみくちゃにされたミキの姿が映し出されていた。

「夫婦で話し合っている最中です」

とミキは言い、嘘《うそ》だと厚子は思った。五十嵐はミキと会っていないのだから話し合うはずもない。

その後、帰ってきた五十嵐は言った。

「今日、オフィスに井上邦子さんっていう人から電話があった。どうしても会いたいそうだ」

自分がアッコで甦ったなら、邦子も「カマキリママ」の愛称で甦ろうとしていた。

「あんたはもうまともに生きていけないんだよ」

という呪詛《じゅそ》の言葉を聞いたような気がした。

育児の本を読むと、妊娠中は不安も多いが、女として充《み》たされた幸福な気分になると書いてある。しかし腹がせり出すにつれて、厚子の苛立《いらだ》ちはつのるばかりだ。子どもが私生児になるのは仕方ないと、最初から諦《あきら》めていた。妻子ある男とつき合っているのだから、子どもは出来ないようにとあれほど気をつけていたし、五十嵐も協力してくれていたはずだ。が、ちょっとしたアクシデントで、厚子は妊《みごも》ってしまったのである。

「そんなことって、あるわけー。ウソー」

話を聞いた友人も大きな声をあげたものだ。たった一回のことで妊娠してしまうというのは、小説やテレビの世界だけと思っていたのである。

しかし厚子は堕《お》ろすつもりはまるでなかった。せっかく授かった大切な命、などという殊勝なものではなく、子どもを産むというのも面白そうだという、それだけのことだ。途中までは、腹がどんどん膨らんでいくのを見るのも楽しみだった。洗面所で服を脱ぐたびおかしくなった。

「ねえ、見て、来てみてーっ」

と五十嵐を呼んだものである。

ところが途中から苛立つことばかり多くなった。腹が大きくなってからの姿を、写真週刊誌に撮られたのがきっかけで、再びマスコミが騒ぎ始めたからである。女性週刊誌やワイドショーは、当然のことながら妻のミキの味方についた。

「夫婦のことは夫婦で解決しますから、どうかそっとしておいてください」

と頭を下げるミキは賢く思慮深い妻そのもので、厚子はすっかり嫌な気分になる。

「何もさ、自分だけがあんなにいいカッコしいになることないじゃないの」

本気でそう思った。ミキの、妻としての評価が上がれば上がるほど、厚子は悪役に仕立てられていくようだ。昔の早川とのことが蒸し返されて、「魔性の女」という言葉が復活した。

しかも驚いたことに、邦子が週刊誌に出てあれこれ喋《しゃべ》っているではないか。

「二十歳そこそこで、そりゃあすごい手練手管を持ってましたからね。私もカマキリママ、なんて言われたけど、アッコにかなうはずはありませんよ。パパ、パパって甘えるふりをして、私から早川を難なく奪ったんですからね」

五十嵐の話によると、厚子とのことが写真週刊誌に出た後、邦子から電話がかかってきたという。

「あなたと一緒に暮らしている女の人のことをいろいろお教えしたい」

という彼女を五十嵐は一蹴《いっしゅう》した。

「自分の女のことは、自分がいちばんよく知っているから、あなたにいろいろ聞く必要はない」

有難い、などと思うよりも、わずらわしい気持ちの方が先にくる。

本当に、自分がいったい何をしたというのだろう。妻も子もいる男が、自分に迫ってきた。その執拗《しつよう》さときたら驚くほどで、ついその気持ちに負けてしまった。しかし妻になる気などまるでなかったのだ。一年なら一年、二年なら二年と期限をつけて妻子ある男とつき合ってやり、後は妻の元に戻すつもりだった。

そして自分でもそろそろ期限が過ぎたと判断したので、別の男とつき合おうとした。若く独身の男だ。自分の過去など気にしないとも言ってくれた。それが今度の妊娠で、いっぺんに御破算になってしまったのだ。

いや、妊娠のことは悔やんではいない。そんなことをしたら子どもが可哀想《かわいそう》だ。口惜《くや》しいのは、ミキや世間から、

「ほら、やっぱりそういう女じゃないか」

と思われたことだ。

毎日のようにワイドショーは、ミキの動向を報じている。夫の愛人に子どもが出来た今、人気女優の妻はどうふるまうのか、みな固唾《かたず》を呑《の》んで見守っているといってもいい。

ふん、とチャンネルを替えると、流行《はや》りのメロディが聞こえてくる。

「なんでもかんでもみんーな、踊りを踊っているよ……ピーヒャラ、ピーヒャラ、パッパパラパ」

子どもアニメの主題歌だが、今の時代の気分にぴったりだということで大ヒットし、昨年から嫌というぐらい耳にする。

「ピーヒャラ、ピーヒャラか……」

厚子が口ずさむと、腹の中の子どもがぐにゃぐにゃと動く。

「へえー、あんたもこの歌、好きなんだね」

リビングルームの床の上で、手と足を動かしてみる。芝浦に「ジュリアナ」という巨大なディスコが出来、そこは大層面白いらしい。夜な夜な女の子たちが「お立ち台」の上に立ち、扇子を持って踊っているという。が、臨月の厚子が行けるわけもなく、こうしてステップを踏んでみるだけだ。本当だったらまっ先に「お立ち台」の上に立ち、激しく踊るはずだったのにと厚子は思う。それほど踊りたいわけではなかった。ただこんな風に、ひと部屋に閉じ込められ、何かを待っているのが嫌なのだ。けれども自分は何を待っているのか。

ミキが離婚に応じてくれるのを待っているのだろうか。

そんなんじゃないと厚子は口に出して言ってみた。人によって動かされ、何かを待っている人生などまっぴらだ。なのに、今の自分というのは、人によって動かされている女、そのものじゃないか。

二十日後、厚子は男の子を産んだ。予定日よりも少し遅れたが、その間にミキが離婚の書類に印を押した。

「生まれてくるお子さんを、不幸にすることは出来ませんから」

という言葉を、テレビのコメンテーターたちは讃《たた》えた。なかなか出来ることではないというのだ。どうしてそんな憐《あわ》れみをくれるのかと厚子はすっかり腹を立てた。私生児なら私生児で構やしない。生まれる一週間前に籍を入れて、きれいごとで済ませよう、とするよりもずっといいではないかと厚子は大きな声を出し、出産前で気が立っているのだろうと五十嵐になだめられたぐらいだ。

話には聞いていたが、出産の苦痛ときたら、体が裂けるかと思った。ほとんど気絶しかかって「男の子ですよ」という声もよく聞こえなかった。超音波検査でわかった時は、女の子がいいとがっかりしたが、男の子でもいいと心から思った。男の子は厚子そっくりだと見舞いに来た者は口々に言う。

産んだのは赤坂の山王病院だ。五十嵐家の子どもたちというのは、代々山王病院か愛育病院で出産するという。どちらも贅沢《ぜいたく》な私立病院だ。

お嬢さまブームが一段落した後も、ブランドブームは根強く残っていて、子どもにどういう出自を与えるかというのは、母親たちの課題のように言われている。

どんな小学校や幼稚園に行かせるよりも、お金では買えない大切な証《あかし》がある。それはどんな病院で出産したかということだ。東京の都心に住み、金も持っている親でないと使えない病院がある。その最たるものが山王だというのだ。ここで生まれた子どもは記念のメダルがもらえる。選ばれた赤ん坊の証である。

「どこの病院で生まれたなんて、いったい誰が聞くの。どこで誰に教えるのよう」

厚子が尋ねると、昨年娘を東洋英和の幼稚園に入れた、かつての遊び仲間のひとりが答えてくれた。

「母子手帳に、生まれた病院の名前はずっと残るわ。それから幼稚園に入ったら、ママたちの話題になるわよ」

今にお受験、大変よーと、お祝いの花を飾りながら彼女は言った。

「バカバカしい。〝魔性の女〟の子どもがお受験出来るわけないじゃん」

と厚子が言い、ふたりで笑い合った。

子どもは俊太と名づけ、五十嵐が出生届を出しに行った。

「よかったじゃないか。ミキのおかげで、戸籍に父親の名を書けて」

その言い分も厚子は気に喰わない。いつのまにか自分は、ミキから夫を奪い、ちゃっかりと子どもを産んだ女ということになっているのだ。

しかし子どもは無条件に可愛《かわい》かった。白いやわらかな頬に唇を押しつけていると、こちらの心がぐにゃぐにゃと溶けていきそうだ。母乳はいくらでも出る。どくどくと白い乳がいくらでも湧《わ》いてきて、まるで自分が乳牛になったみたいだと厚子は思った。

そういえば妊ってから、腹のまわりにどっしりと肉がついている。

「いやだー、このあいだまで宮沢《みやざわ》りえだったのに」

大ベストセラーになったので、宮沢りえのヌード写真集『サンタフェ』は厚子も題名を知っていた。朝日新聞の全面に、本の広告でいきなりりえの全裸が載った時、日本中が仰天したものだ。

「本当よ。おっぱいだって、りえちゃんよりもカッコよかったんだから」

僕がちゃんと憶えてるから心配ないよと、五十嵐は後ろから厚子を抱きすくめる。

「すぐに元に戻るさ。それに僕は今のアッコも好きだよ」

幸せだと思わなくてはいけないのかもしれないと、厚子は少し反省する。俊太は私生児になることもなく、きちんとした夫婦の長男として戸籍に残ったのだ。

五十嵐がロンドンの友人に頼んでくれた乳母車は、俊太が三ヶ月になった時に到着した。寒い日が続くが、陽が出ている午後には連れ出すようにした。東京の真中につくられた美しい人工都市、広尾ガーデンヒルズは新しい年を迎えていた。すっかり伸びた木々の続く並木道に、外国製の白い大きな乳母車はよく似合った。この中に俊太を入れて散歩すると、すれ違うたいていの人が声をかけてくる。

「まあ、なんて素敵な乳母車、まあ、なんて可愛い赤ちゃんなんでしょう」

乳母車と一緒に送られてきた、英国王室ご用達《ようたし》というベビー服に身を包んだ俊太は、冬の陽ざしと人の視線がまぶしいのか、急に目を細める。その愛らしさといったらなかった。

これが疑いようもない幸福というものだろうか。けれど厚子はいつも気恥ずかしい。自分がこんな風に幸福にひたりきって、乳母車を押していることが恥ずかしくてたまらない。こんな風な自分は本当の自分ではないと思うのだが、ではどこが本当の居場所なのかと問われれば困ってしまう。

そして広尾のガーデンヒルズの木もれ陽の中から突然あの歌が聞こえてくる。

「なんでもかんでもみんーな、踊りを踊っているよ。お鍋《なべ》の中からぼわっと、インチキおじさん登場……」

「いつもあの歌が出てきたんです。息子を抱っこしていても、買い物していても、あの歌が聞こえてくるんです」

厚子は作家の秋山聡子と向かい合っている。今日二人の間にあるものは、フカヒレのスープである。今回は中華料理を食べようと言って、聡子は有名店の個室を予約してくれた。以前早川たちと行った中国飯店の姉妹店だが、新一ノ橋という場所も手伝ってか、大変な人気だ。ここのフカヒレの煮込みは濃厚なおいしさで定評がある。聡子は相変わらず、料理に気をとられている様子で、ぴちゃぴちゃ料理をすすっている。けれども油断は出来ない。女の作家というのは、どんな時にもこちらを探っているのだ。しかし厚子は次第に楽しくなってくる。この女の欲しそうなものを、さりげなく差し出してやると相手の表情がゆっくりと変わってくる。人の顔色を読むことぐらい苦手なことはないと思っていたが、どうもそうではないらしい。いや、この女の作家が案外とてもわかりやすい女なのかもしれなかった。

「あの歌って、今思うと本当にあの時代にぴったりだったと思いませんか。あの頃、みんなピーヒャラピーヒャラ踊っていたし……」

「そうね、インチキおじさん登場、っていうところもぴったり」

聡子は皿を持ち上げ、残ったスープをちゅっとすする。

「でもその頃から、もう五十嵐さんは浮気していたんですよね」

「そうです。彼は私の妊娠中からつき合っていた若い女がいたんです。慶応の学生でした。すごいと思いませんか。離婚問題であんなにごたごたしていて、奥さんと私の間に立って、大変なことになっていたというのに、もうひとり女の人がいたんですからね」

あのことを知った時、本当におかしくて厚子は笑った。まるで漫画のような結末だったからだ。

「今も五十嵐さんとは別れていないんですよね」

「私たちふたりともめんどうくさがり屋でだらしないから、まだ籍は抜いてません。今あちらは、新しい恋人が出来て一緒に暮らしています。でもいい感じですよ。私たち、こういう関係がいちばん合っているみたい」

「それで」

聡子は一瞬間を置き顔をしかめた。聞きづらいことを聞く時の癖だと、既に厚子にはわかってきた。

「今、アッコちゃんにも恋人がいるんでしょう」

「もちろんいますよ」

厚子は微笑《ほほえ》む。こういう時本当に楽しい。

「よかったら次の時に連れてきます。ぜひ会ってやってください」

12

厚子は四十歳になった。

けれども自分をとりまく世界は、そう変わっていないような気がする。

息子の学校の母親たちとは、全くと言っていいほどつき合っていない。地元の中学校へ子どもを通わせている母親たちは、もっさりとした服装をしているうえに、話すことといえば、子どもの偏差値と、高校の品定め、といったことばかりだ。

俊太は、家からいちばん近い小学校、中学校へと通わせた。実は五十嵐と暮らしていた頃、厚子は〝お受験〟を試みたことがある。

「アッコが〝魔性の女〟でも、五十嵐っていう苗字《みようじ》がありさえすれば大丈夫」

まわりの友人たちに勧められたのだ。西麻布の一等地に、広々とした敷地を持つその幼稚園は、ある財閥の当主が、自分の会社に勤める社員の子弟のためにつくったものだという。慶応の幼稚舎をはじめ、有名小学校への合格率の高さで知られていた。金持ちの親ばかりで、朝の登園の様子は、このあたりの名物にさえなっている。ベンツはもちろん、ベントレー、ロールスロイスといった高級車がずらり並ぶのだ。政財界や芸能人の子どもが多い。五十嵐の姪《めい》や甥《おい》たちもここの卒園生なのだ。

しかし保護者面接で、五十嵐は園長相手に長々と喋《しゃべ》り始めた。

「いま、お受験なんていう言葉が流行っていますけれども、子どもを三歳児のうちに選別するなんて不可能だとは思いませんか。いや、たぶん親で選んでいるんでしょうが、ここに子どもを通わせる親というのは、エリートの道を歩んできたはずです。少なからず競争の重要性も知っている。そういう親たちが、こういうエスタブリッシュされた幼稚園に子どもを通わせようという心理が、僕にはいまひとつ理解出来ませんね。こういう僕も、親の言うとおり慶応の幼稚舎へ行きました。けれどもヨーロッパの国々と比べるべくもない。ヨーロッパで若い頃に教育を受けた身としては日本に真のエリート教育というのはあり得るのだろうかと、常に疑問を持っているわけです」

いつものようにマンホールの穴からぼこぼこと水が湧くが如《ごと》く、とめどなく言葉が出てくる五十嵐の口元を、厚子はぽかんと眺めた。園長はじめ、面接に立ち合った教諭たちも呆然《ぼうぜん》とした表情をしている。何か悪ふざけをしているんだろうかと厚子は思ったほどだ。子どもの面接で、こんな大演説をぶつ親がいるだろうか。

しかし次第におかしくなってきたのも事実だった。帰り道、俊太の手をひいて三人で歩いた。

「もうこれで駄目よね。俊太に積木やリトミックを教えたけど、これですべてパーだわ」

「いいよ、いいよ。アッコにお受験なんて似合わないよ。いいか、考えてみろ、アッコがここの幼稚園の子のママになるなんて考えられるかよ。毎朝スーツ着て、髪もちゃんとブローして、エルメスのケリーかバーキン持ってここに通うんだぜ。アッコの柄じゃないだろ」

「だったら、最初から受験に反対してくれればいいじゃないの」

厚子は頬をふくらませる。

「いや、いや、今日この幼稚園に来て、あのやたら広い庭見たら、なんかイヤーな気分がしてさ。三つか四つの子どもに、どうしてこんなに贅沢なことさせるんだろうって」

「あなただって、子どもの時からうんと贅沢に育ったじゃないの」

「贅沢でも質が違うね。うちの親は子どもに最高の文化を与えてくれようとしたけど、ここの親は金で買えるものしか子どもにやらないね……。ま、ゲン直しに「福鮨《ふくずし》」で軽くつまもうか」

「なんかさ、それもお金で買える贅沢っていう感じだよ」

厚子と五十嵐はけらけら笑い合った。考えてみると、あれが夫婦として最後の幸福な姿だったような気がする。が、そうかといって、今が不幸というわけではない。

別居して四年近くになるけれども、しょっちゅう電話がかかってくる。俊太は父親のことが大好きなので、夏休みに二人で旅行に行ったこともあった。今、五十嵐が一緒に暮らしている女性とも会ったことがある。銀座の宝石店に勤めているという若い美人だ。ドルチェ&ガッバーナのワンピースの胸元から、乳房の谷間がくっきりと見えた。華やかでグラマラスな美女が、昔から五十嵐の好みなのだ。

「アッコの若い頃に似ている」

と失礼なことを言う者がいたが、厚子はそう腹も立たない。別居といっても、四年もたてばアカの他人と同じだ。籍を抜くと、俊太の学校の手続きや、名義の書き替えといったわずらわしいことが増えそうなので、そのままにしている。俊太の進学や就職の時に、父親がいた方がいいかな、という計算があった。

「僕はもう結婚するつもりはないから、籍はどうだっていいよ。アッコに好きな人が出来て、再婚したくなったらいつでも抜いてあげるよ」

と五十嵐はことあるたびに言うのだが、そうかといって厚子の今の生活を知っているはずはなかった。人の心を邪推したり探る男ではない。本当に他意はなく、

「アッコに好きな人が出来たら」

と言っているのだろう。

五十嵐は知らないだろうが、この四年の間に厚子は何度か恋をしている。俊太を連れて実家に帰ってきてから、かなりひんぱんに夜出かけるようになった。これは嬉《うれ》しい計算違いであったが、厚子が実家に帰ることについて、あれほど反対していた母が、初孫に夢中になったのだ。宿題をさせ、食事をつくり、寝かしつけるのを嬉々《きき》としてやってくれた。

そんなわけで厚子は、とうに「カムバック」を果たしたのだ。

そうは言っても、昔と同じような遊びが出来るわけではない。わずかな間に、店もそこで集っていた人たちも消えてしまった。厚子に何も求めることをせず、会うこともしなかった男がいた。お腹《なか》が空《す》いたと厚子が電話でねだると、

「じゃ、あの店で僕のツケで好きなものを食べておいで」

と言い、ついでに、

「店員に言っとくから、春の洋服を選んできたら」

とまで言ってくれた不動産屋の社長は、大変な負債を背負ったまま、故郷の四国に帰ったという。土地関係は全滅と言ってもいいありさまで、そこに飲食店やゴルフ場経営の男たちが加わる。生業以外に株をやっていた連中だ。

そして厚子とそのグループも、もう踊ることはない。久しぶりに「クラブ」と名前を替えたディスコへ出かけたものの、ステップもルールも違っていた。何よりも「子持ちの女」が、今さら踊るわけにもいかない。厚子の楽しみはもっぱらカラオケと酒になった。若い時のように踊りや店を回る合い間に、ちょっと口をつける軽い酒ではない。

俊太の成長と共に、厚子の酒量は確実に上がっていった。ワインだったら軽く一本は空ける。いつもの仲間とカラオケで歌いながら、ワインを飲んだら最高だ。最近高級なカラオケ店は、いいワインを置いている。そうでなかったらワインバーに繰り出す。

不思議なことに、世の中が不景気になったのと反比例して、ワインに詳しい人間が増えた。あの頃は、みんな知っているワインといえば、マルゴー、ロマネ・コンティぐらいだったのに、この頃はみんなしかめっ面《つら》をして、あの村はどうした、あの畑の南斜面がいい、などということを喋っている。いっせいにグラスを持ち上げじっと眺め、いっせいにくるくる回すさまは滑稽《こっけい》だった。

「そんなの、じっと見ててもおいしくなるわけじゃないしさ。辛気くさい顔して、じいーっとワインを飲むのっておかしいよ」

仲間たちは笑う。

「そんなこと言って、いつもまっ先に、高いいいワインを飲んじゃうのはアッコじゃないか」

あははとみなで笑い合い、また新しいワインに手を伸ばす。

自分の今までの人生で、楽しくなかったことなど一度もない、と厚子は思う。子持ちの四十代の女に、近寄ってくる男などいないと思ったがそんなことはなかった。どれだけ多くの男たちに口説かれたことだろう。が、たいていは妻子持ちだったから、厚子は軽くあしらう。それも昔のままだ。

五十嵐からは俊太の養育費が毎月届くし、これは内緒のことであるが、かつて早川が厚子名義にしてくれた株もある。配当がまるでない時期があったのだが、ある時から急にかなりの額が振り込まれるようになった。

　まあ金があろうとなかろうと、厚子が払うことはない。たいていの場合、その場にいるいちばん羽ぶりのいい男が伝票をつかむことになっているのだ。その羽ぶりのいい男たちのうち何人かと、厚子はつき合ったことがある。

　驚いたことに、中には不動産業者も何人かいた。バブル崩壊と共に息絶えたと思われた彼らだったのに、何人かがたくましく生き延びて戻ってきているのだ。

「あいつらは馬鹿《ばか》だったのさ」

　彼らは必ず言う。

「終わる時を知らなかったんだからな。いいかい、バブルっていうのは、必ず誰か最後の者が、ババをつかまされるようになってたんだ。それに気づいて、利口な者はパッと逃げたのさ」

「地上げの帝王」と言われた早川などは、巨大なババをつかまされた、ということらしい。厚子は彼らに早川の話などしない。遊び仲間の顔触れは大半が入れ替っていたから、厚子の過去を知らない者がほとんどだ。厚子が今、人妻で、息子を持つ母親だということさえ知らない者が多かった。

「アッコってキタナイんだから」

十四歳の頃から親友の奈美がふざけて言う。

「自分の過去もみーんな隠そうとしているでしょ。その点私は、日本でいちばん有名な未亡人だったから、過去を知られるどころじゃないわよ」

売れっこないと、あれほど厚子が馬鹿にしていた奈美の夫なのに、いつのまにか人気歌手と言われるようになっていた。が、それでも若いマニアックなファンだけがついていたのに、ある日突然、彼の知名度は全国区となり、〝カリスマ〟という名がつく最初の歌手となった。不慮の死を遂げることにより、彼の名は神話化さえしたのだ。

彼の死をめぐってさまざまな憶測が流れ、さまざまな暴露本が出た。あの時は毎週のように、週刊誌のトップ記事になったこともある。その流れの中で奈美も本を出し、これはかなり売れたらしい。しかしそのおかげで、自分が誰の妻だったか、多くの人に知られることになったと奈美は言う。

「その点アッコはいいわよね。もう世の中、ハヤカワなんていう男のこと、たいていは忘れてるわよ。そういえば、そんな人がいましたっけ？　なんてもんよね。だけど私の場合は違うもん。彼のＣＤって今も売れてるもの。私が誰かっていうのも、みんなが知ってるのよ」

なるほどそんなものかと厚子は思った。あれから二十年近い歳月が流れ、早川のことなど人々の記憶から消えているらしい。早川とのことを、恥ずかしい、消したい過去と思ったことはない。厚子の脚を大きく拡《ひろ》げ、その間で、

「ありがてえ、ああ、ありがてえ」

と拍手《かしわで》をうった中年男のことを思い出し、ふっと笑ってしまうこともある。

しかしそうした思い出を持つことによって、自分は随分嫌な思いをした。マスコミに隠し撮りされ、「魔性の女」とさんざん書かれた不愉快さは、当事者でなくてはわからないだろう。

が、もうそういうことは、自分さえ口にしなければどうということもないのだ。男たちは今の自分を見て寄ってくるのだから、不要な情報を入れることはない。

俊太のことにしてもそうだ。別に結婚する、というわけでもないし、戸籍を見せ合うこともない。それならば子どものことなど別に口にしなくてもいいだろう。事実、明け方まで飲んで歌う厚子に、中学生の子どもがいると思う者はいなかった。

堀内《ほりうち》をいったい誰が連れてきたのか。厚子はよく憶《おぼ》えていない。気がついたら、飲んでいる輪の中にその男が入ってきていた、という感じだ。

三十代の半ばだろうか。紺色のスーツを、まるでリクルートスーツのように着ているると思った。それほど初々《ういうい》しい雰囲気を持っていた。ただのサラリーマンかと思った

のだが、そうだったらこの輪の中に入れるわけがない。プロ野球選手に、アムウェイのトップディストリビューター、結婚式場のチェーン店社長といった金をたっぷり持つ面々だ。

「今、流行《はや》りのＩＴ長者だよ」

とチェーン店社長が紹介した。

「えー、じゃ、ホリエモンとかミキタニと一緒なんだ」

「いや、彼らのように有名人じゃありません。弱小の会社です」

青年は顔を赤らめた。

「でも年商十億なんだぜ」

「十億といっても、この世界じゃ本当に弱小ですから」

このように謙遜《けんそん》する。それまで小心者の成功者に厚子は出会ったことはなかった。

厚子はわざと行儀悪く、目の前の男に強い視線をあてた。

ほっそりとした体つきに、少年っぽい甘さを残す顔立ちは好男子といってもいい。しかし厚子の不躾《ぶしつけ》な視線を受け取れずに、困惑しているさまは貧乏人のようだ。金を稼いだり、世の中に出ていく男からはいちばんほど遠いものであった。

いくらＩＴ長者の多くが、〝おたく〟から出発したものだとしても、この男の気弱な雰囲気は驚くほどであった。

「ねえ、どんなお仕事してるの」

もう一度厚子は聞いた。本当にこの男が金持ちなのかどうか確かめたかったからだ。

「僕の会社は、コンテンツをつくっているんです」

「コンテンツねえ」

このくらいならなんとかなるが、それ以上のＩＴ用語ときたら厚子にはお手上げで、パソコンは持っているものの、ほとんど使わないうちに、俊太が自分のものにしてしまったぐらいだ。

「この男、本当に面白いんだよ」

粕谷《かすや》という、結婚式場のチェーン店が大あたりした男が解説する。美食のために顔がピカピカしているこの男は、まだ四十になったばかりだというのに、現代の億万長者としてよくマスコミに載る。古くなった洋館を次々と買い取り、ウェディングパーティーが出来るようにしたのが評判をとったのだ。昔バンドをやっていたということで、芸能界にも顔が広い。人気タレントと噂《うわさ》が立ち、一度週刊誌に出たことがあった。

「堀内ってさ、有名なポルノ女優の運転手をしていたんだよ」

ＡＶ女優ではない、ポルノ女優だと粕谷は力説した。その女の名前を厚子は聞いたことがある。

「えー、もうすごいおばさんだったと思うけど」

「十五年ぐらい前の話です。僕が高校を出てすぐの頃です。あの頃はまだ綺麗《きれい》で、全国のストリップ劇場をまわってました」

彼女のところに一年近くいて、三十歳そこそこでプロダクションを経営した。AVに出る女の子たちを街でスカウトし、それをいろいろなところへ送り込む仕事だ。

「それが馬鹿みたいに儲《もう》かりましたけど、ヤクザもからみ始めてすっかり嫌になってやめました。貯《た》めた金を持って、台湾やニューヨークでぶらぶらしているうちに、インターネットで何かやろうと思ったんですよ」

「こいつのすごいとこは、オランダに会社つくったことだな」

「オランダ？　そこで白人のポルノビデオつくるの？」

「いいえ、違います。いろいろ調べた結果、オランダがいちばん法律がゆるいってことがわかったんです。だからうちのサイトは、オランダを通すようにしたんです」

次第に意味がわかってきた。日本では許されない過激なポルノも、オランダのサイトをたまたま「見つけた」、という形にすれば許されるのだ。

「堀内って本当にすごいんだぜ。年商十億って言ってるけど、おととしは三億、その前は数千万っていう倍々ゲームなんだからさ」

「いやあ、僕はたまたま運がいいだけなんですよ」

堀内はしきりに頭に手をやる。

若い頃からポルノやAVにどっぷり浸っていた男とは思えないほどの清涼感があった。

風貌《ふうぼう》から、どこかの大学院生か講師といっても信じただろう。今の金持ちは、こんな人種も生み出しているのかと、厚子は新鮮な気分になる。

「堀内のもっとすごいところはですねえ」

酔った粕谷は、カラオケ用のマイクを手に持ち、大きな声で喋《しゃべ》り始めた。

「この若さで、なんと三回も結婚していて、子どもが合計四人もいることです」

「へえー」

厚子はしんから感心した。人は見かけによらぬものだ。この男はどう見ても独身に見える。自分の勘も鈍ってきたのだろうか。

「三回もするなんてすごいわね。私なんか一回したら、もういいや、っていう感じだけれど」

感心したついでに、自分のことをついぽろりと口にしてしまった。

「離婚してるんですか」

「まあ、そんなところかしらね」

五十嵐とのことを説明するとめんどうくさいので、そのくらいにしておいた。

またにぎやかにカラオケが始まり、堀内はちょっと前のB'zの歌を歌ったが、音程といい声のよさといい、なかなかのものであった。

「カスヤよりずっとうまいじゃん」

厚子が誉《ほ》めると、また頭をかいた。

「これでも歌手をめざしてたことがあったもんで」

どうやらポルノ女優の運転手をしていた頃らしい。

「あの人って、面白いよねー」

送ってくれる車の中で、厚子は粕谷に告げる。

「IT長者っていっても、ちょっとエッチなことが好きな、ふつうの男の子じゃん」

ぽーんと靴を脱ぐ。厚子は昔からストッキングが大嫌いだったが、今は冬でも素足でいるのがおしゃれとされている。だからいつでも何も穿《は》かない。靴も流行の光るものが大好きだ。いつも八センチのヒールを履く。

モデルやタレントの女の子たちも、信じられない高さのヒールとナマ足で、夜の街を闊歩《かっぽ》しているが、車の中では厚子のようにぽーんと脚を投げ出すに違いない。隣にいるのはおそらく恋人ではなく、気のおけない男友だちだろう。昔も「アッシー」という言葉があったけれども、こちらに気がありながらも無事に家まで送り届けてくれる男たちだ。

出会ってすぐの頃、粕谷は厚子のことをしきりに口説いてきたが、タレントの若い恋人が出来てからはぴたりとやんだ。それどころか、我儘《わがまま》な彼女のことをよく厚子に相談するようになっている。男としては好きなタイプではないけれども、金離れがよくて明るい粕谷は、今では厚子にとって欠かせない男友だちのひとりだ。最近は俊太のことも包み隠さず話して、時々は一緒に遊んでもらう。離婚して独身の男というのは、こういう時何かと便利だった。

「今のインターネットやってる奴《やつ》らって面白いよなあ……」

組んだ厚子の脚を、ちらりと眺めながら彼はつぶやく。

「インターネット使って、毎晩アダルトサイト見てるような奴が、ある日突然、経営者になっちゃうんだからなあ。あの堀内にしてもさ、スカウトマンやってた割には、アクのないおとなしい奴だろ」

「ホント、そういう業界にいたとは思えない」

「ちょっと前だったら、ああいう奴、どこかのプロダクションで下っ端《したっぱ》やってたり、バイトで喰いつないでいるはずなのに、あっという間にサイト立ち上げて億を稼ぐようになっている。何かさあ、ＩＴ関係の奴らってよくわからないところがあるよなあ。ミキタニとか、ホリエモンっていうのはいかにもデキそうだけど、そうじゃなくて、その後ろに何千人、いや、何万人っていう得体の知れない奴らが控えているような気がするなー」

「ふーん、カスヤもそう思ってるんだ」

抜け目のない彼は、ＩＴ長者の何人かとも親密につき合っているのだが、彼らのことはよくわからないとこぼす。

「あっちの方をそう知ってるわけじゃないけど、昔の金持ちとは違うよなあ」

「バブルのさ、土地で儲けていた人たちの方が、ずっと明るかったような気がする。お金もパーッと遣ってたしさ」

やがて左手に、六本木ヒルズが見えてきた。もう夜中の一時近いというのに、けやき坂通りは何人もの人々が歩いている。角のカフェで、犬を連れた何人かがテラス席に座っているのもおなじみの光景だ。いま東京でいちばん華やかで、豊かな街である。

この街に立つ六本木ヒルズマンションに、今をときめくＩＴ長者たちが集まっているというのはあまりにも有名だ。「ヒルズ族」と呼ばれる彼らは、夜な夜なタレントやアナウンサーといった美しい女たちを集めてパーティーを開いているという。粕谷によると、

「たいした女なんかひとりもいない。どうっていうこともない」

ということだ。厚子の友人で、このヒルズパーティーに呼ばれた者がいる。誰でも知っているＩＴ長者のホームパーティーだったが、

「あんまりたいしたことない。まだあの人たちって、お金の遣い方知らないっていう感じ」

と冷ややかな口調だ。

「イタリアンシェフのケータリングを入れてたんだけど、お酒が焼酎《しょうちゅう》か安物のワイン。そんなにお金がかかってないわ」

それよりも女の子のレベルがひどかったと彼女はいう。

「五十人ぐらいのパーティーだったけど、みーんな、すごい肌を露出した服を着た、売れないモデルかタレント。男の人が何か言うたびにさ、キャーキャー反応するんだけど、その反応が安っぽいのよね。本当に金に群らがってやってきたアリンコよね」

「それで例のＩＴ長者が、気に入った女の子を選ぶわけね」

「まさか。あの人は恋人と同棲《どうせい》してるから、その彼女が女主人としてふるまってるわ。モデルのコたちは、彼のお友だち用にかき集められてるのよ」

どんなパーティーだったか想像出来る。たぶんあの頃の、夜な夜な繰り拡げられていたパーティーと変わりないだろう。いつの時代も金持ちの男と女がすることは同じだ。

が、たぶん自分は、このヒルズのパーティーには招《よ》ばれることはないだろう。いくら何でも四十の厚子が、そういう場所に行けるはずはない。

「年齢制限ってやつか……」

ひとりごちて、こっそりと笑った。

何かおかしい。昔と同じことが始まっているというのに、自分は確実に年をとってしまった。昔と同じように美しいし、人によっては今の方が魅力的だという男もいる。しかし自分は、あの城からもう招かれることはない。年齢という無遠慮な、くっきりと女を計るものによって。そして困ったことに、このことは少しも悲しくもつらくもなく、むしろおかしいのだ。なぜだろうと考えてもわからず、厚子はひっくひっくと小さく笑い続ける。

「どうしたの」

傍の粕谷がけげんな目を向けた。

13

厚子の携帯に、粕谷から電話があった。

「小アッコっていうのに会ってみないか」

「小アッコって何よ」

「今、六本木あたりじゃ有名なんだ。昔のアッコにそっくりの女の子がいるんだ」

「私みたいな美人が、そんなにいるもんかしらね」

「ハハハ、顔も確かに似ているけどさ、生き方とか雰囲気もそっくりなんだ」

「やめてよ、そんなコ、おっかないじゃないの」

「おっかないはよかったな」

受話器の向こう側で、粕谷が声を立てて笑った。

「そのコもさ、まわりからあんまり、アッコに似てる、アッコに似てるって言われたもんだから、すっかり興味示しちゃって、一度会ってみたいって言ってんだよ」

「ふうーん」

その言い方が、ちょっとえらそうだと厚子は思う。

厚子は昔から、若い女が苦手だ。手の内があまりにもたやすく読めてしまうので、一緒にいると意地悪な気分になってくる。一度などカラオケで、いつまでも男のことで拗《す》ねている女に向かい、

「そんなにつまんないなら、帰ればいいじゃない」

と怒鳴ったことがある。

たまに賢くて、話をすると楽しい女もいるが、かなりの確率で器量が悪い。頭が悪い女と、器量が悪い女と、どっちが嫌いかと問われれば、器量が悪い女と答えるだろう。自分と同レベルは無理だとしても、やや低いレベルの美しい女たちと群れていると、それだけで世の中の八割の特権は手にしたのと同じだ。飲んだり踊ったりするところでは、金を払うこともなく、いちばんいい場所に招待してくれる。男たちは競争で自分たちに尽くしてくれる。

けれども無器量な女と一緒にいていいことは何もない。たまにそういう女と一緒にいると、厚子はたまらなくみじめな気分になってしまう。こんなところを人に見られたくないとさえ思う。だからこういう女とたまに会う時は、ひっそりとした地味な店にする。

小アッコというのは、いったいどんな女なのだろうか。たぶん美しくて、頭も要領もいい女に違いない。そんな女は山のように見てきた。六本木通りを歩いている女は、年々ひどくなっているが、一歩裏の道に入れば、昔と同じように華やかで美しい女たちが、男に囲まれて酒を飲み、歌っている。彼女もきっとそうした女のひとりだろう。しかしその花園の中から、どうして彼女ひとり「小アッコ」と呼ばれるようになったのか、それはちょっと知ってみたい気がする……。

厚子の沈黙を、粕谷は承諾と受け取ったらしい。

「じゃあさ、僕がセッティングしておくからさ」

そしてすぐにまた電話があり、夜の十二時からにしてくれということであった。

「どうしてそんなに遅いの」

「仕方ないよ。彼女、クラブのママをやっているから、その時間を過ぎないと出てこられないんだって」

「なあに、その小アッコっていうのは、おミズのおねえさんなんだ」

ちょっと鼻白んだ気分になる。

「うーん、ちょっと違うよ。言ってみればクラブのママごっこさ。愛人の男がものすごい金持ちだから、金を出させて一軒店を持ってみたっていうことなんだよ。本人はだからさ、好きな時間に行っては、すぐに遊びに出かけちゃう。あれじゃあ潰《つぶ》れるのも時間の問題だなって、みんな言ってるんだけどさ」

粕谷は男が女を落す時の、独特の調子をつけて話し始めた。彼女の名前は斎藤《さいとう》ひな子という。友だちからは「ヒナ、ヒナ」と呼ばれているが、最近は年配の男たちから「小アッコ」とか「アッコの二代目」と呼ばれていて、本人はこれがわりと気に入っているようだ。

ひな子は今年二十四歳になる。スカウトされて、モデルをしていたのも厚子と同じだ。が、厚子のような名門校ではなく、埼玉の越谷にある女子校に通っていた。卒業と同時にプロダクションに入り、タレントの道を歩み始めた。深夜番組のレギュラーをやったこともあったが、それ止まりで、もうめったにテレビからもお呼びがかからない。それよりも彼女の才能が発揮されたのは、男たちとの関係であった。まず有名な美容整形医とつき合い始め、南麻布の豪華なマンションに住まわせてもらった上に、鼻と顎《あご》を直してもらった。たいていの美容整形医は女好きであるが、彼も例外ではなかった。そして多くの場合、愛人たちは彼らの実験台となるが、ひな子の場合はまれに見るほどの成功例となった。ごくふつうの、テレビの深夜番組で、スターの背景として座るとほとんど目立たなかった程度の美人が、たちまちコケティッシュで蠱惑《こわく》的な美女になったのである。この際、豊乳手術も受けたという噂《うわさ》があるが、本人は否定している。

そしてさらに美しい顔を手に入れた彼女は、美容整形医とも別れ、さらに大物をつかまえた。関西に本社を持つ、運輸会社の社長である。東京ではそう知られてはいないが、「裏でもいろんなことをしてて、とにかく金はたんまりある」男の愛人となったのである。

「どこが私と似てるのよ。なんだか嫌な女じゃない」

「それがさ、会ってみればわかるけど、やたら面白いコなんだよ。今度さ、もうクラブのママにも飽きたから、イタリアへ語学留学しようかな、なんて言ってる、とにかくすっとんだ女の子なのさ」

何を思い出したのか、粕谷はまた低く笑う。

粕谷が指示してきたのは、麻布の老舗《しにせ》の鮨屋である。ここは深夜までやっているため、芸能人が多いことでも有名だ。もちろんカウンターでも食べられるのだが、顔を見られたくない連中のために、ふたつの個室も用意されている。厚子はここからひっそりと出てくる、お笑いタレントと女子アナウンサーのカップルを見たことがある。

十二時まで時間をつぶすために、粕谷とワインバーで飲んだ。途中厚子は、ルイ・ヴィトンのバッグの中から、紙片を取り出す。

「何だよ、それ」

「息子の学校のプリント。明日までに書いて提出しなきゃいけないから、酔っぱらわないうちにやっちゃおうと思って」

カウンターの上で書き始める厚子に、粕谷は呆《あき》れた顔をする。

「おい、おい、お母さん、ちょっとシラけますけどねえ」

「仕方ないじゃん。うちの大切な息子が、ママ、お願いって言ったんだから」

厚子に子どもがいることを粕谷は知っている。が、案外口の堅い男なので、めったに人には言わないだろう。別に隠すつもりはないが、

「こんな時間まで大丈夫?」

「お子さんはこんな時どうしているの」

と、人に尋ねられたらたまらない。飲んで面白おかしくやっている時に、そういう質問をされると、厚子は「退場」とこっそり意地悪く言い渡されたような気がする。

結局二人で二本のボトルを空け、短い距離であったが、タクシーをつかまえて麻布の狸穴《まみあな》まで走らせた。

既に「小アッコ」は来て座っていた。男と一緒だ。赤坂の総合病院の副院長である彼は、厚子と遊んでいた頃は、別の病院で修業していた身の上であった。さらに金まわりがよくなったらしい彼は、ゴルフ灼《や》けでてかてかと光った顔をし、フランク・ミュラーの新作を手首に巻いていた。

「いやあ、アッコ、相変わらず綺麗《きれい》だね」

武田《たけだ》というその男は言う。

「今日はあの『小アッコ』を連れてきたからね」

「はじめましてぇ」

女の肌も髪も、首も、ネイルのアートも、着ているものも、すべて完璧《かんぺき》であった。手入れがいきとどいた肌は薄化粧で品がよい。そして髪は美容院でなければ不可能な、やわらかく甘ったるいカールを描いていた。厚子は女の隙《すき》のなさに、自分にないものを幾つか見つける。時代がそうだったからかもしれないが、厚子はもっと無造作であった。おしゃれはしていたけれども、髪は時々はねていたこともあったし、ネイルもここまで工芸品のようにはしていなかった。

「僕がさ、『小アッコ、小アッコ』って言い始めた最初かもしれないな」

得意そうに武田が言う。

「武田先生が言うようになってから、うちのお店のお客さんや、会う人がみんな、アッコの若い時と同じだ、って言うんです。だから私、一度ぜひお目にかかりたいと思って、今夜はわがまま言っちゃいました」

ひな子は案外礼儀正しかった。しかしもうかなり酔っているらしく、ろれつが怪しい気だ。そしてひどい悪声で時々裏返る。これではタレントとして成功しなかったはずだと厚子は思った。

「まずは乾杯といきましょう」

粕谷がシャンパンを運ばせる。ここは鮨《すし》屋のくせに、若主人の趣味で高価なワインやシャンパンが揃《そろ》っているのだ。

「まずは新旧二人のアッコに乾杯」

「アッコとこっちのアッコに乾杯」

はしゃいでいるのは主に男たちだ。

「な、な、似てるだろ」

と武田はしきりに言うのであるが、似ているとはまるで思えなかった。骨格がしっかりとしている厚子に比べ、ひな子の方は細面の日本的な顔立ちだ。どこまで手を加えているのかわからないが、削り取ったような顎の線がやや淋《さび》し気な印象だ。

「ラテンの血が混じっているようだ」

と多くの男たちに言われた厚子とは正反対の容姿といえる。

「顔じゃないよ。君たちは生き方がそっくりなんだよ」

武田がヴーヴ・クリコのロゼを飲み干して言った。

「若いのに金持ちの男をさんざん手玉に取るところ、な、そっくり同じだろ」

「失礼ねえ」

同時に叫んだが、厚子よりも声が大きかったのは、ひな子であった。

「私、男の人のお金めあてにつき合ったことなんか一回もありませんったら。男の人をお金で選んだことなんか、絶対にありませんよっ」

むきになるところが可愛《かわい》らしく、厚子も男たちと一緒になって笑ってしまった。

「ほら、ヒナって、いつもこうやって怒るんだけど、いいかい、君のやってることっていうのは、やっぱりお金めあてなの。だからいつも金持ち男の愛人になっちゃうの」

粕谷が言いきかせるように言うと、

「違うもん、違うもん」

と、ひな子は唇をとがらせた。それが媚《こ》びているのではなく、本気なのだ。

「みんな、私のこと絶対に誤解してると思う。いい、あの先生は離婚してて、バツ2だったの。だから私は愛人じゃありません」

先生というのは、有名な美容整形医のことらしい。

「それから、今の彼はね、離婚係争中で、ずっと別居しているのよ。それでね、私に結婚してくれ、結婚してくれってずっと言い続けているの。ねえ、私のいったいどこが愛人なのよ」

「な、似てるだろ」

と武田が厚子の顔をのぞき込む。確かにそうだ。美容整形医を早川、運輸会社の社長を五十嵐とすれば、厚子の状況とそっくり同じではないか。

「決して金ではない」

と本人は思っていても、それ以外の何ものでもない事態になっていくところも似ている。

「アッコにしてもヒナにしても、本当に面白いよね。大胆なことをしていても、全然その自覚がない。どうして人にこんなに悪く言われなきゃいけないのって怒ってる。実にいいよなあ……」

「だけどさ」

粕谷が言う。

「私はお金がめあて、なんて言い切る女がいるんだろうか。たいていの女は、違う、違うって言いながら金のある男へなびいていく。女っていうのは、言いわけや、自己弁護の天才なんだろうな。いや、頭のシステムが男と違うんだろうなあ」

戸が開いた。仲居が料理を持ってきたのかと思ったがそうではなかった。以前会った、IT関連の会社を経営する堀内が、ひっそりといった感じで入ってきた。あの時と同じような紺色のスーツが、この部屋のよどんだ空気を少し変えていくようだ。

「遅かったよな」

粕谷が言う。

「ほら、おめあてのアッコがいるよ。今夜は若いアッコもいるよ。豪勢な夜になりそうだよな」

「遅くなってすいません」

堀内ははにかんだ笑いをうかべた。厚子は勤めた経験がないが、入社して三、四年の社員というのはこんな雰囲気ではないかと思った。

勧められるままに、彼は厚子の隣りに座る。そう広くない個室だったので、五人はぴっちり身を寄せ合って座らなくてはならなかった。

「まるで合コンみたいだな」

武田が笑う。

「やだー、シュンちゃんたら、その年で合コンなんかあるわけ」

〝小アッコ〟が突然はしゃぎ始めた。さっきまで「武田先生」だったが、急に名前で呼ぶ。この男とも関係があるのかとちらっと厚子は考えるが、そうたいしたことでもない。二、三度のことなら愛人のうちには入らないが、二人の関係はそんな感じだ。

「もちろん、ありますよ。この頃はさ、あちこちからお招《よ》びがかかって困ってるの」

大病院の御曹司《おんぞうし》である武田は、気取った声を出し、妙なシナをつくった。

「どうせさあ、お金めあてのモデルとか、おミズとかがどっさり来る合コンなんでしょう。男の方は金をたんまり持ってるオヤジばっかり来るんでしょう」

「よく言うよ、正真正銘おミズの女が」

「もー、ひどい。何度も言ってるでしょ。あのお店、前のママが突然放り出しちゃったから、私がやるしかなかったの。人助けのためにやってるんだから、そういう言い方しないでよ」

「人助けって柄かよ。クラブのママになるんだからって、男に着物を何十枚も買わせた女がさあ。そのくせ着付けが自分じゃ出来ないんだから」

「もー、本当にうるさい。私、着付け教室にちゃんと通いましたッ。だけど忙しくて途中から行けなくなっただけなのよ」

二人のかけ合い漫才のような会話を、厚子はぼんやりと聞いている。若くて綺麗な女をいじったりからかったりするのが大好きな男がいるが、武田もこのタイプだ。

「ねえー、ワインリスト持ってきてよ」

武田が叫ぶ。つまみがあれこれ運ばれてきたが、誰も箸《はし》をつけようとはしない。そもそも鮨を食べたくてこの店を選んだわけではなかった。深夜までやっていて、中華でもイタリアンでもなく、個室がある店というと自然に限られてくるのだ。

それを知っているから、「仕方ないなあ」と若主人が顔を出す。自分が大のワイン好きで、ここは鮨屋とは思えないほどのワインセラーを持っている。こうして常連たちと、あれこれワイン談議をするのが大好きなのだ。

武田が若主人と、ひそひそワインの相談をしている間、粕谷が堀内をからかい始める。テーブルの向こう側には、武田とひな子、こちら側は粕谷と堀内にはさまれて厚子が座っている。堀内の密着の仕方は清潔であった。必要以上に膝《ひざ》をすり寄せてきたりはしない。

粕谷が簡単に、堀内を紹介した。

「言ってみれば、今話題のＩＴ長者っていうやつだな」

「へえー、うちにもお客さんで来るわ」

ひな子が声を上げる。トーンが高くなると、彼女の悪声がよくわかる。

「ねえ、ねえ、ブレッドシステムの高橋《たかはし》さん知ってる？　スカイエージェントの水谷さん、知ってる？」

「いやあ、僕は本当に地味にひっそりやってるから、業界の方とのおつき合いはほとんどないんです」

「そうはいっても、彼のところはここのとこバカ儲《もう》けだよ。昨年は年商十億だそうだけど、倍々ゲームで、今年は二十億間違いなし。おまけに社員たった二十人で、これだけ稼いでるんだから、全くすごいもんだよなあ」

粕谷の言葉に、注文が終わり、ワインリストをパタンと閉じた武田が反応した。

「君たちＩＴの人って、もうお金の感覚じゃないでしょう。ゼロがいっぱいついた数字が、口座の中を出たり入ったりする感じじゃないの」

「そうでもないですよ。これでもお金の苦労は身にしみて感じてますよ」

「バブルの頃にさ、不動産の人たちと遊んでいると、今月は何億稼いだ、あの仕事で何十億儲かった、っていう話をしていたけれど、あの時とスケールが違うっていう感じかなあ……」

武田が堀内につっかかっていくのが厚子は気に入らない。

「いいじゃないの。シュンちゃんだって、患者にバンバン薬渡して、バンバン保険請求して、すごくお金稼いでるじゃないのォ」

「おい、おい、アッコ。人聞きの悪いこと言うなよ」

武田が苦笑いする。

「こんなに真面目《まじめ》で地道な医者つかまえてさァ。人が聞いたら本気にするだろう」

「だって本当じゃないの。昔は綺麗な銀座のお姉さんとつき合ってて、そりゃあ金がかかるってこぼしてたわ。イタリア連れてったのがバレてさ、奥さんが実家に帰った時、私たちが慰めてあげたのよ。あれが地道なお医者さんのすることかしらね」

一座がどっと笑った。武田はむっとしようか、笑おうか一瞬迷った表情をしたが、すぐに後者の方をとった。

「本当にアッコにはかなわないよ。痛いとこをみんな握られてるからな。だけどさ、オレだってさ、そりゃあ昔は馬鹿《ばか》なことをしょっちゅうやってたけど、もうちょっと謙虚だったと思うな。女の子大切にしてたよ。少なくともＩＴ長者の誰かみたいに

『女は金についてくる』みたいなことは言わなかったと思うよ」

「だから僕は、そういう人たちの仲間じゃないんです。全然関係ないんです」

　堀内がぼそっと言った。


　朝起きると、九時をとうにまわっていた。リビングルームに降りていくと、母の鈴江が、腹が立って仕方ない、といった様子で掃除機をかけていた。

「もう、いいかげんにしなさいよ」

　顔を見ないで怒鳴る。

「中学生の母親が、明け方に飲んだくれて帰ってくるって、いったいどういうつもりなの」

「仕方なかったのよ。相手の都合で十二時スタートだったんだから」

「俊太が本当に可哀想《かわいそう》よ。私たちが可愛がってるからっていっても限界があるからね。親の替わりは出来ないんだからね」

　母の小言を聞き流して、携帯のメールチェックをする。二件入っていた。一件はひな子で、一件は堀内からだが、いつアドレスを交換したかも憶《おぼ》えていないのだ。

　まずひな子のメールを見る。

「憧《あこが》れのアッコさんとお会い出来て嬉《うれ》しかったです♥　私のまわりの男の人たちが言っていたとおり、綺麗《きれい》でカッコよくて素敵でした。これから私を、妹分として可愛がってくださいね。小アッコより」

そしてまたハートマークが二つついていた。思っていたよりも要領のいい子だと思うが、決して嫌な印象ではない。あの後みんなでクラブへ行ったけれども、何かと厚子に気を遣っていじらしいぐらいだった。嫌われまいと一生懸命なのだが、厚子にはそんなつもりはまるでない。

女が自分に気配りしてくれると、厚子はとたんに居心地が悪くなる。ほうっておいてくれるか、あるいはライバル視してくれた方がずっといい。こちらを敵視する女は無視すればいいのだが、気遣いしてくる女には、同じようなもので返さなくてはならない。それが大層疲れるのだ。

男との駆け引きもめんどうくさいと思う自分が、どうして女とあれこれ心理戦を展開しなくてはならないのだろう。仲よくなって一緒に遊ぶか、あるいはいないものと考えるか、のどちらかだ。嫌うというのは、エネルギーもいって、厚子の選択肢にはなかった。

次に堀内のメールを読む。

「昨夜はとても楽しかったです。アッコさんにいろいろ気を遣ってもらって、とても嬉しかったです。本当にやさしい人だと感激しました。今度はぜひお食事をご一緒させてください」

これはいったいどういうことなのだろうかと厚子は考える。彼に気を遣った憶えはまるでないのだ。堀内という男は本当におとなしく、たえず微笑をうかべて皆の話を聞いている。厚子にしてみれば「人員外」といった感じだったのであるが、あちらは何か誤解しているようだ。まあ、そんなことはどうでもいいと、厚子は冷蔵庫を開け、ジュースのパックを取り出した。流しに俊太が使ったらしいコップが置いてあったのでそれを使う。

突然掃除機の音がやんだ。鈴江がすぐ傍に立っていた。

「ねえ、五十嵐さんから最近連絡ないの」

「ないわよ。だって別に用事ないもの」

鈴江は椅子《いす》をひき寄せ、半端《はんぱ》な姿勢で座った。

「もう四年になるのよ。あんたと俊太がこの家にきて、離婚もしないでずるずる暮らしてる。あんたは娘時代と同じように遊びまわっている。私だってもう年なんだから、俊太のめんどうをみられないわよ」

「じゃ、離婚しろっていうこと」

「今のままじゃ、その方がずっといいわね」

鈴江ははっきり言い放つ。

「さっさと離婚したらどうなの。今ならちゃんと慰謝料を貰《もら》えるわよ。あんたはまだ若くて綺麗だわ。母親の私がそう言うんだから間違いないわよ。だからさっさと離婚して、早く再婚した方がずっといい」

厚子はふんとジュースを飲み干す。確かにそのとおりであるが、実の母親にそう言われるのは、何やら面映ゆい気になる。

「このままだと、あんたの価値は下がるわよ。女はどんなに若くて綺麗でもね、四十になると男の人は引くものよ。だから私が再婚したのは三十九歳だったわ」

「そうだっけ。わりと若かったのね」

中学生の時だ、母が再婚したのは。その時は何もいい年をして、二回も結婚することはないのにと思っていた。しかし今の自分とそう変わりないのだ。

「歯がゆくて、今のあんたを見ていられないわ。そりゃあ今は楽しいかもしれないけれども、すぐにいいところを全部若い子に持っていかれるのよ。その前に五十嵐さんのことをはっきりさせなさい。そうしないと……」

再び立ち上がって掃除機のホースを手にする。

「誰かの愛人にしかなれないわよ」


母のこの言葉がひっかかっていたわけではない。が、厚子は毎日のように来る堀内のメールをいっさい無視した。

「おはようございます。これから朝のミーティング。小さな会社は気合いが大切です。ところで野鴨《のがも》は好きですか。東麻布においしい店を見つけました」

「今日は寒かったですね。今、タクシーで移動中。アッコさんは中華料理が好きだそうですね。そろそろ上海蟹《シャンハイがに》の季節ですから、お誘いしてもいいですか」

そして何日めかにこんなメールが届いた。

「メールのストーカーのようになってしまったので、すっかり嫌われたんでしょうか。僕は今、とても悩んでいます。どうやったらアッコさんにもう一度会えるんでしょうか」

同情というよりも、悪戯《いたずら》心で厚子はこんな返事をする。

「一緒にご飯を食べないのは、堀内さんに奥さんと子どもがいるから。私、家庭持ちとはつき合わないことにしてるの」

なんと二分後に返事が来た。

「だったらどうしたらいいんですか。アッコさんと会ったのは一ヶ月前、妻と会ったのは五年前なんですから」

「五年前とか、正直に言うところがイヤ」

「正直だけが僕の取り柄です。正確なことを言っただけなのに。アッコさんはひと目惚《ぼ》れという言葉を信じますか。今の僕はまさにそれです。僕はアッコさんぐらい魅力的な人を見たことがない。もっと綺麗な人なら、女優さんとかにいるかもしれない。だけどアッコさんって存在自体がキラキラしている」

「ありがとう。でも私、妻子持ちってイヤなの」

「イヤでもいいから、たまには変わった体験をしてください。僕と食事をしてください」

自分に息子がいて、夫とは別居していることも、こういう時厚子はいっさい忘れてしまう。

ずっと昔から、いろんな夜景を見てきた。

バブルの時代、「ウォーターフロント」と騒がれていた頃、「タンゴ」のテラスから見る東京港は、まるで外国のようであった。

お台場が開発された頃、出来たばかりの日航ホテルのテラスから見た、夜の海も綺麗だった。そして東京の夜景は、どんどん上へとあがっていくようである。

ついこのあいだまで、愛宕《あたご》のグリーンヒルズから見る東京タワーが、いちばん近くいちばん美しいと言われていた。しかし六本木ヒルズクラブ五十一階から見る東京タワーにはかなわない。ここの窓からはなんとタワーは、下に見えるのである。

堀内と一緒に窓際《ぎわ》のカウンターで、白ワインを飲んでいた。二人の真下に東京の街が見える。もう十時を過ぎているのに、たくさんの光がちりばめられ、ある場所では規則正しく、ある場所では乱雑に光っている。

なんて綺麗なんだろうと厚子は思う。高いところから夜景を見るのは大好きだ。この五十一階は、会員制のクラブになっていて、ふつうの人はエレベーターで上がってこられない。ごく一部の選ばれた人だけが会員になれる、という触れ込みであったが、そんなことはないと堀内は言う。

「入会金はそんなに高くないし、審査だってどうってことないですよ。紹介者があればたいてい入れます」

「どうせだったら、クラブの方じゃなくて、あっちの……」

厚子は顔を向けた。

「マンションの方に住めばいいじゃないの。ほら、IT長者たちがみんな住んでるっていうマンション。あそこで夜な夜な、パーティーが開かれているんでしょう。IT長者と、女子アナとかタレントさんのパーティーが、いつも開かれているんですってね」

「僕なんか、招《よ》ばれたこともない。アッコさんこそ、ああいうパーティー、しょっちゅう行ってるんでしょう」

「行ってるわけないじゃない。こんなおばさん、お招びがかかるわけないじゃない」

「おばさん？」

その言葉が全く理解出来ないとでもいうように、堀内は首を横に振った。キッと結ばれた唇は、怒りさえ含んでいる。

「おばさん？　それってアッコさんのことを言ってるんですか。アッコさん、若くて綺麗ですよ。なんで自分のこと、そんな風に言うのかな」

「ありがとう。でも、もう四十よ」

「信じられない。でも今の四十代って、本当に綺麗で素敵な人が多いですよね。でもアッコさんは特別ですよ」

「ありがとう」

どうやら彼は、厚子に子どもがいることを知らないらしい。が、そんなことを言う必要はないだろう。年齢は正直に言ったのだから、もうそれ以上、自分の損になることを口にせずともいいはずだ。

「さっきのスッポン料理、すっごくおいしかったわ」

「でもびっくりしたな。女の人に何を食べたいって聞いて、スッポンって言われたのは初めてだから」

「あら、そう。だけどAV出るような人たちって、スッポン大好きなイメージがあるけど、よく食べてたんじゃないの」

「アッコさんにはまいっちゃうなぁ。いつも意地の悪いことばっかり言うから」

「あら、そう。私のどこが意地悪なのかなあ。そう思ったから聞いただけじゃない」

「アッコさんはふつうのつもりでも、僕の胸にグサリとくることを言うんだから……」

その後しばらく沈黙があった。二人で同じ夜景を見ている。目を凝らしてみると、五分前とわずかに違っている。大通りの右の角、さっきまで一列に並んでいたあかりがすべて消えていた。そして今、二人の目の前で、音をたてるようにして素早く消えていくあかりがあった。それを合図のように、堀内が口を開く。

「アッコさん、このあいだのメール、見てくれましたか」

「読んだわ、もちろん」

「僕はこういう仕事をしているんですけれども、女の人にはとても真面目《まじめ》なんです。めったやたらに女の人を口説く男とはまるで違う。アッコさんと初めて会った時、僕はびっくりしました。世の中にこんな人がいるんだなあって思いました。なぜなら……」

男の口説き文句というのは、何度聞いても楽しく嬉しい。言っていることはたいてい一緒でも、みんなそれぞれ個性がある。声のトーンが違う、押しの強さが違う、言葉のニュアンスが違う……。そういえば昔、脅しに近いような言葉で攻められたことがあった。何軒かのバーで飲んだ後、男はドスの利《き》いた声でこう言ったのだ。

「おい、男に恥をかかすんじゃないぞ」

あの男に比べれば、堀内のやさしいトーンは、気弱にさえ感じられる。が、四十になると、こういう言われ方も悪くない。夜景が徐々に変わっていくように、口説かれ方も変わっていくということだろうか。

「アッコさん、ちゃんと聞いてくれてるんですか」

苛立《いらだ》ったような堀内の声だ。少々彼は怒りっぽいかもしれない。

「聞いてるわよ、もちろん」

「それで僕、隣りのグランドハイアットに部屋をとりました。どうか、怒らないでくださいッ」

頭の下げ方が、昔大人気だったテレビのお見合い番組のようだ。男の方が、気に入った女の子に向かって頭を下げる。

「お願いしますッ」

性欲やいろんな想《おも》いを、滑稽《こっけい》な一途《いちず》さで誤魔化そうというあのポーズを、どうして思い出したりしたんだろう。厚子は思わず笑い声をたてた。自分の白い喉元《のどもと》に、男の視線が刺さっているのがわかる。

「どうして笑うんですか」

堀内がむっとしたように見る。口説いている時、こうした恐《こわ》い表情になる男がたまにいるものだ。

「今の言い方、ねるとんを思い出したから」

「やめてください。僕は本気なんですよ」

「だってえー」

厚子は語尾をやや伸ばして、男を眺める。媚《こ》びているつもりはないけれど、そう見られるのは仕方ない。

「堀内さん、奥さんやお子さんもいるじゃないですか。それも四人も」

「だけどアッコさん、女房《にょうぼう》や子どもがいるからって、人を好きになっちゃいけないんですか。人は結婚した後で、本当に好きになった人に出会っても、近づくことは出来ないんですか」

　厚子は本当におかしくなってきた。一応ＩＴ関係の企業の社長をしていて、億万長者になろうとしている男が、これほど稚拙なことを口にするとは思わなかった。もう断わる理由が見つからないなと、厚子は思う。何よりも稼働率《かどうりつ》九十一パーセントを誇り、めったに予約を取れないグランドハイアットの部屋に行ってみたいという気持ちを抑えることが出来ない。まだあそこに誘ってくれた男はひとりもいないのだ。

　厚子は承諾の証《あかし》に、うふふと笑いながら東京タワーを眺める。なんてきらびやかで美しいタワー。都会に住んで、この位置からこれをずうっと見続けていられたらなんて幸せなんだろうか。心からそう思う。

14

西麻布から一本入った裏通りに、かなり名が知られたワインレストランがある。ワインの種類の豊富さだけを言われているが、料理もなかなかのものだ。秋が深くなると、これ以上高価な食材はないと言われる白トリュフが出る。これをパスタの上に、薄くスライスしてのせるのだ。厚子は昔から、この白トリュフのパスタが大好きだった。「キャンティ」でもこの一品は食べられるのであるが、別居してからというもの、あちらの方はどうも敷居が高い。五十嵐の方は、

「好きに使っていいよ。僕の方に伝票をまわしてくれればいいから」

と、鷹揚《おうよう》なところを見せているが、男友だちも混じって数人でする高価な食事を、やはり別居中の夫に支払わせるのは気がひける。そういうと、友人たちは、

「へえ、アッコにそんなに殊勝なところがあるなんて」

と笑うのであるが、どうも気が進まないのだ。堀内とつき合い始めるようになってからは特にそうだ。意外なことに堀内は、この老舗《しにせ》のレストランの常連であった。

「すごく遅くまで仕事をしていてたまたま入った店がここだったんだ。僕は味のことはよくわからないけれども、この頃ワインはおいしいなあと思って」

「私だってよくわからないわよ。ただ私は、おいしいワインを、いっぱい飲むのが好きなの。ほら、この頃みんなグラスをくるくるまわしたり、ウンって頷《うなず》き合ったりし

ているでしょう。ああいうのを見ていると、ちょっとォ、タカがお酒じゃん、って怒鳴りたくなっちゃうのよね」

最近このレストランで、二人でワインを二本空ける。堀内が選ぶものは、安くはないけれどもそう高くないものばかりだ。だらだらと料理を食べながら、三時間近くこの店で過ごす。その後は、ホテルに行くこともある。さすがにもうグランドハイアットというわけにはいかない。夜遅く飛び込みで部屋をとれるはずもなかった。

タクシーをとばして、他のホテルへ行くこともあったが、最近は「六本木ホテル」を使うことが多い。「六本木ホテル」は、大昔からあるラブホテルだ。今ではファッションホテルというらしいが、厚子が高校生の頃からあった。六本木の静かな住宅地の中に、ひっそりと建っている品のいいホテルだ。ちょっと通り過ぎただけでは、その種類のホテルとは気づかないかもしれない。

「やだー、知ってる人に見つかったら恥ずかしいわよ。もうダサイわよ」

などと最初は抵抗していた厚子であったが、考えてみるとこんな便利なものはない。一流のシティホテルだと手続きがめんどうなうえ、深夜に広いロビーをつっきって歩かなくてはならない。それに二、三時間使うだけでしっかりと一泊の料金をとられるのだ。とられる、といっても厚子が払うわけではないが、こういう不合理さはもとより好きになれなかった。

そこへいくとこの種のホテルは、すっと入って、目的を終えたらすぐに出ていけばいいのだ。昔から場所柄、有名人も多く、何度かタレントやミュージシャンとすれ違ったこともある。

「カメラマンが張ってたらどうしよう」

「ふっふっ、アッコは有名人だもんね」

厚子がかつて写真週刊誌をにぎわしたことは知っていても、内容は知らない堀内は、厚子の言葉をすっかり冗談ととってしまうようだ。

その夜も、ヴィンテージからははずれているシャトー・ラトゥールを飲み終った後、彼はおどけて言う。

「どう、アッコ、写真週刊誌に撮られにいかない？」

六本木ホテルに行かないかという誘いなのだ。店を出て大きな通りまで歩く。「ザ・ウォール」の前の信号に立った。バブルの最中、突如出現した巨大な壁は複合ビルであった。下は「J・メンズ」という男性のストリップバー、上の階はイタリアンレストランになっていて、有名な写真家と結婚していた、元モデルの美しい中年女性がマネージャーをしていた。

今もこのあたりは人が多い。何かのパーティーだろう、タキシード姿の白人男性がひとり店を出てきた。

その時厚子は、信号の向こう側に五十嵐が立っているのを見た。「キャンティ」は歩いて二十メートルほどの場所だから、そこにいても不思議ではない。最後に会ったのは、夏休みに俊太を預けた時だから三ヶ月ぶりだろうか。質のよさそうなキャメルのコートを着て、若い女と立っていた。とてもＯＬとは思えない美しい女だ。衿《えり》に毛皮のついたコートから、高いヒールに支えられた見事な脚がのぞいている。

厚子と五十嵐は、信号の途中ですれ違う。

「よおっ」

五十嵐は本当に嬉《うれ》しそうに片手をあげた。

「久しぶりい。元気だったァ」

「ああ、元気、元気」

信号が赤に変わりそうだったので、それだけ言うのがやっとだった。

「今の人、誰？」

渡り終ったところで、案の定堀内が尋ねる。

「うちのダンナよ。ずっと別居しているけど」

った。


「ふうーん、あの人か」

「妬《や》ける？」

「そういうわけじゃないけど」

ホテルに入る直前に、厚子の携帯が鳴った。予想していたとおり、五十嵐からであった。

「随分若いのとつき合っているんだな」

「そうでもないわよ。私と同じぐらいよ」

「なかなかよさそうじゃないか。結婚するのか？」

こういう時の五十嵐の声には、微塵《みじん》も嫉妬《しっと》のいやらしさがない。

「しないわよ。だって奥さんも子どももいるもの」

「僕だっていたけど、結婚したよ」

「時代が違うのよ、時代が。私にもうそんな元気はないの。そっちこそどうなの」

「うーん、むずかしいとこだな」

「もしするんなら、いつでも戸籍から消えますからね。本当に遠慮しないでね」

「遠慮なんかしないさ」

携帯の向こうで、五十嵐がかすかに笑うのがわかる。

「もう僕も若くないし、元気もないからな」

「何言ってんのよ。幾つになっても恋は出来るわよ」

厚子の言葉に、堀内が振り返る。何を話しているのだと苛立《いらだ》っている。

「じゃあね、切るわ」

今、ホテルに入るところとはさすがに言えなかった。夏に五十嵐はこう言った。

「世の中に、うちみたいな変わり者《もん》の夫婦がいてもいいいさ」

本当にそうよねと、厚子はもう一度笑いたくなる。


「一緒に暮らしたいなァ……」

深夜のワインバーで、堀内が言った。最近彼は、空恐ろしくなるほど高いワインを飲む。それまではイタリアンワインがせいぜいだったのに、今はフランスのヴィンテージばかりだ。今も六一年のラス・カーズを抜き、あらかた空けた。堀内が言うには、ワインというのは麻薬と同じで、のめり込んだらもう抜けられない。厚子もいいワインとそっくり同じだ。味わい始めたとたん、もう深みへ深みへと入り込んでいく。ワインはどんどん高価なものが飲みたくなり、厚子とは毎日でも会いたくなった。

厚子は堀内という男がおかしくてたまらない。外見は大層若く、いかにも〝おたく〃出身のＩＴ関連の社長だ。ところが突然分別くさいことを言ったり、年寄りじみた口説き方をする。

「今のさ、ワインにのめり込むように君にのめり込んだ、っていうのは、大昔からおじさんたちが言ってたわ。バブルの頃、ロマネ・コンティなんか平気で抜いちゃって、そして君もこのワインと同じぐらい最上の女だとか言ってたわよ」

「本当に冗談はやめてくれよ。今のは僕のオリジナルだよ……」

　堀内はため息をついた。

「オリジナルでも何でも、前に聞いたことがあるんだもの」

「アッコにはかなわないよ。どうしてこんなに意地の悪い女に惚《ほ》れちゃったんだろう」

　堀内はグラスを干す。もう一本何か注文するのだろうかと、向こうでウェイターが目を動かしていたが、堀内はそれを無視した。

「このあいだからずっと考えてたんだ。アッコと一緒に住みたいなあって。アッコが前から、いいな、いいなって言ってた六本木ヒルズを借りたっていいよ」

「あそこはもういいわ。このあいだ友だちの友だちのうちに行ったら、結構ちゃちいんだもの。六本木ヒルズのマンションって、名前ばっかり先行してて、中身はたいしたことないのよね」

「だったら、〝ザ・ハウス〟だっていいんだぜ」

南麻布に出来たばかりの、最低価格三億円の物件である。

「アッコの住みたい場所、住みたいマンション、どこだって言ってくれよ。たいていのところはOKだからさ」

「だってどうするの、堀内さんのうちは四人も子どもがいて、うちにだってひとりいるのよ」

五十嵐の時もそうであったが、厚子はつき合う男に必ず〝さん〟をつける。昔からずっとこうしてきた。他の女がするように、〝ちゃん〟づけしたり、呼び捨てにすると安っぽく聞こえるような気がするからだ。友人たちからは、

「アッコと寝た男か、そうではないかはすぐにわかるの。寝ちゃうとアッコは〝さん〟づけして、他人行儀になるから」

と笑われる。堀内は、〝堀内さん〟と呼ばれてもそう気にならないようだ。

「僕は俊太君と一緒に暮らせると思うよ。もちろん本当の父親のようにはいかないだろうけど、うまくやっていけると思う」

「おたくの四人の子どもと奥さんはどうなるの」

「彼女はわかってくれてると思うよ。僕がこういう性格だってこと。彼女はすごく賢くて僕のことを理解してくれる人だから、僕がこういうことを言い出してもわかってくれると思う」

厚子は思わず声をたてて笑い出した。

「どうしたの、何がおかしいの」

「やーね。今のダンナが奥さんのこと、十五年前にまるっきり同じように言ったの。本当だってば。僕の奥さんは賢い人だから、きっと僕のことをわかってくれてるって」

「それでどうなったの」

「馬鹿《ばか》ね、わかってくれるわけないでしょう。すぐに離婚よ。だから私が五十嵐って苗字《みょうじ》になっているんじゃないの」

「ああ、そうか」

世故に長《た》けたずる賢そうな表情を見せる時もあるし、こんな風に少年のような顔つきになる時もある。本当に面白い男だと厚子は思った。厚子にとって、面白いというのは愛情と同義語になる。考えてみればすべての男とは、この「面白そう」から始まった。

「僕はそれだって構わないと思っているんだ。彼女と子どもたちには、出来る限りのことをしてやるつもりだし。彼女も本心を言えば、子どもと一緒に生まれ故郷のハワイに帰りたいはずだよ」

「へえー、奥さんってハワイ生まれなの」

「あれ、言わなかったっけ。ハワイ生まれのハーフだよ」

十五の時に両親が離婚し、母と一緒に日本の祖母のところへ帰った。彼女が十八歳の時にスカウトした堀内は、AVに売り込むつもりだったのだが、何とはなしに手をつけ、何とはなしに結婚してしまったという。

「ほら、出来ちゃった婚というやつだから」

「やだ、うちと同じじゃないの」

いいきっかけをつかんだと言うように、堀内は厚子の手を握る。

「だから僕は、真剣な恋をしたことがないんだよ。こんな気持ちになったのはアッコが初めてだよ。今度こそ僕は、本当に惚れた女と一緒に暮らそうとずうっと思ってた」

そういうことになるのかなあと、厚子はぼんやりと考える。いつまでも親のところにいることは出来ないと考えていたところだ。思春期を迎えた俊太のことが心配であるが、幼い頃から親の身勝手さに振りまわされてきた息子は、十三歳とは思えぬほど大人びて達観したところがある。うまく説得すれば大丈夫だろう。

それより何より、また新しい生活が始まるかと思うと、厚子は酔いが軽やかに体中をまわっていくのを感じる。新しい男と新しい住まい。この二、三年で、豪華さを競うマンションが次々と出来ている。恵比寿のガーデンプレイスのマンションに人気が集まったかと思うと、あっという間に六本木ヒルズの方に人が流れた。表参道のダイヤモンドホールの後ろに建ったマンションも芸能人や有名人が多い。青山や麻布にも高層マンションが次々と建っていて、ああいうところに住むのも悪くはないような気がする。厚子が珍しく憎まれ口を叩《たた》かないので、堀内はそれを承諾の証《あかし》とったようだ。

「それじゃあ、乾杯をしようよ」

シャンパンを注文する。

「アッコと僕の未来のために」

「そんなもの、あるのかなあ」

厚子の額を、コイツと堀内は軽く押した。

クリュッグの八六年を二人で空けた後、腕を組んで店を出た。さっきから小アッコことひな子から、何度もメールが入っている。いくら遅くなってもいいので、星条旗通りのクラブに来てくれというのだ。無視するわけにもいかず、堀内と二人、地下の店へと下りていく。階段の途中の踊り場で、堀内と長いキスをした。

「あんな〝フェイク・アッコ〟なんかほっといてどこかへ行こうよ」

「そうはいかないわよ。私たちこの頃仲よしなんだもの」

踊っている何人かをよけ、奥のVIPルームに行くと、隅のテーブルにひな子が座り、何人かが囲んでいる。ひな子にしては珍しい、スピリッツ系の酒を手にしていた。大きな目のまわりが、黒く汚れている。涙でマスカラが落ちてしまったのだ。

「アッコさーん、遅いじゃない」

ひな子は厚子の顔を見るなり、わっと泣き出した。若く美しい娘が泣きながら飲んでいるというのに、傍にいる四人の男たちはなぜか楽しげだ。粕谷はニヤニヤ笑っている。

「ヒナのやつ、写真週刊誌にやられちゃったんだってさ、ついに」

「えー、だって」

ひな子にも、ひな子の愛人にもそんな価値があるとは思えない。ひな子が有名だといっても、所詮《しょせん》夜の盛り場での話だ。ひな子の愛人がいくら金持ちだといっても、誰も知りはしないだろう。

「お笑い芸人をつまみ喰いしたりするからだよ」

「つまみ喰いなんかじゃありませんッ。いっときは本気だったんですってば」

相手は厚子もよくテレビで見る、売り出し中のお笑い芸人だった。この手の仕事の男にしては珍しく、整ったアイドル系の顔をしていて若い女を中心に大層人気があるという。男は、ひな子がママをしている店の客であった。前から熱心に通ってきてくれ、その気持ちにほだされ、ついそんなことになってしまったという。

「本当に運が悪かったの。つき合い始めてすぐだったのよ」

「まさか、一回めっていうわけじゃないだろう」

「う……ん。だから四回めだったんだけどね」

「ほら、みろ。四回もしたんだから、写真週刊誌に撮られても仕方ないよ」

男たちはゲラゲラ笑う。自分のものにならなかった美しい女が、他の男によって窮地に立たされたのを、ざまあみろと思っているに違いない。

「これでヒナも、パパに捨てられるよな」

「ママごっこもお終《しま》いだな」

「な、な、パパは何て言ってたんだよ」

「パパじゃありません。彼です、恋人です」

　これほどの事態に追い込まれても、むきになって反発するところがおかしく、厚子さえ笑ってしまった。

「まだ週刊誌は発売されてないから、彼は見ていないわ。ねえ、アッコさん、助けて。アッコさん、あそこの出版社のジュニアとお友だちなんでしょ。仲がいいんでしょ。ねえ、せめて私の名前がわからないようにして。お願いよ」

「そんな、昔ちょっと一緒に遊んだだけよ。今は電話することもないもの」

「じゃ、私、どうすればいいのよ。これで彼に嫌われたら、どうすればいいの」

　ひな子は泣きながらグラスの酒を飲む。それは妙にエロティックな光景であった。

「な、な、ヒナ、これでお前も知名度が全国区だ」

　粕谷がひな子の肩を抱く。

「ヒナも、これでやっとアッコに追いついた。もう正式に二代目襲名だ」

「ちょっと、ヘンなこと言わないでよ」

「いや、いや、もうこれをきっかけに、ヒナもふっ切れろ。どんどん悪い女になって、アッコを越えるような女になってくれ。これは僕の心からの祝いの言葉だ」

　そうだ、そうだ、と他の男たちが言う。堀内はと見ると、決して不快そうな顔をしていない。アッコは口を開いた。

「ねえ、ヒナちゃん、出るもんは出る。もう仕方ないよ。それでさ、ヒナちゃんの人生変わったって、そういうもんだよ。だからって人を恨んでも仕方ない。もうこれが運命だって思うしかないわよね」

「さすが、本家はいいこと言うなあ……。そうだ、ヒナの未来を祝して、シャンパンを抜こう」

「みんなで私のことを馬鹿にして……」

ひな子はしゃくり上げたが、その姿がなんとも愛らしい。この店ではキュヴエが運ばれてきて、みなはグラスを手にした。

「それじゃ、一躍有名人になったヒナに乾杯」

それから粕谷は、ゆっくりと厚子の方にグラスを向けた。まるで先ほどまでの堀内との会話を知っているかのようにだ。

「もはや伝説になったアッコに乾杯」

「その記事は見たことがあるわ」

作家の秋山聡子は言った。今夜はもう小説連載が終わるということで、銀座の和食店の個室である。目の前には、さっき抜いたばかりのドン・ペリニヨンが置かれている。聡子が注文したシャンパンである。

「確か目のところはモザイクが入ってたけど、すごい美人だというのはわかったわよ。あの人がひな子さんだったのね。確か元タレントで若きクラブのママだって」

「本人は元タレントっていうのに、すごく怒ってましたけどね。今でもちゃんと事務所に入ってるって」

「その愛人とは駄目になっちゃったの」

「まさか。どこでどうだまくらかしたのか、お咎《とが》めはまるっきりなし。相変わらずつき合ってますよ」

「それで……」

聡子は言いづらそうに目を伏せる。図々《ずうずう》しいように見えて、案外気が弱いところもある女なのだと厚子は思う。

「アッコちゃんは、その堀内さんともう一緒に暮らしているの」

「ええ、でも暮らしているっていっても、彼がうちに来るのは週に三回くらい。後はちゃんと家庭に戻ってます」

「まあ、それでもいいの」

「いいですよ。私、新築の青山のマンション借りてもらったし」

「それで……結婚する気はないの」

「ありませんよォ」

わざとすっとんきょうな声をあげる。

「だって私、結婚してるんですよ。ちゃんと夫がいるんですよ」

目の前にいる女がとまどっているのがおかしい。

「いつまで続くかわからないけど、だらだらこのままでいようと思って」

「でもねえ……」

「私ね、ひな子を見ててつくづく思ったんです。私たち、何も悪いことをしていないって。モテもしないし、勇気もないし、何もない人たちが、私たちを見て何かぐだぐだ言ってもそれはもうほっときなさいって、彼女にも言ったんです」

厚子はグラスを握る。そのくすり指には、堀内から買ってもらったばかりのヴァン・クリーフが光っている。決してねだったわけではない。男が先まわりをし、買ってくれるのだ。いつもそうだ。断らなかった、返さなかった、ということだけで女はあれこれ言われる。

ずうっとずうっと昔から、仕掛けてくるのは男だった。金と力のある男たちは、空気や水を求めるように若く美しい女を求める。それを受けとめてやるのは、若く美しい女の義務なのだ。そう、自分はごく忠実にまじめに、この義務を行なってきただけではないか。大昔から、こんな風にして、男と女は交わってきた。その時々幸せになったり不幸になったりする。が、それはとても楽しい。選ばれた者だけ味わえる楽しい時代をすごす。ふつうの人間よりも、はるかに濃密な時代をすごしていく。が、そんなことを目の前の中年女に言ったとて、理解してもらえるはずもない。男に愛されたこともない女に、男に愛され過ぎるつらさを喋《しゃべ》っても無駄なことだ。厚子はにっこりと笑う。

「シャンパン、いただきます。私はシャンパンがいちばん好き。ずっと昔からがぶがぶ飲んできたわ。ずうっとずうっとシャンパンを飲んできました。いっぱい注いでください。あ、乾杯はなしでね」

解　説

馬場康夫

週刊新潮誌上に『アッコちゃんの時代』が、連載されたのは、2004年9月から翌年5月にかけて。当時、ボクは、「20歳のキャバクラ嬢がタイムマシンに乗って1990年に行きバブル崩壊を止める」というおバカなアイディアを映画にするため、バブル期の文献を読み漁《あさ》り、バブル体験者にインタビューを繰り返していた。その過程で、アッコちゃんのモデルとされるA子サンの存在も聞き及んではいたのだが、それを林さんに小説にされ、「やられた！」と舌打ちしたのをよく覚えている。と、同時に、ここだけの話、この小説はずいぶんと参考にさせて貰《もら》った。

それがおそらく、ボクがこの文庫本の解説役を拝命した理由である。

そして、こんな理屈抜きに面白い小説の後に、理屈っぽい話をするのは少々気が引けるのだが、解説を拝命したからには、本作の背景となっている『バブル景気』について説明しておかなければなるまい。

この小説の物語の始まりからきっかり1年後の1985年9月、米レーガン政権は、拡大する一方のアメリカの貿易赤字に強い危機感を持ち、ニューヨークのプラザホテルに、米・英・独・仏・日の蔵相（いわゆる『G5』）を集め、「各国協調してドル安方向に市場介入しよう」と呼びかけた。ドル安になれば、アメリカは輸入より輸出の方が儲《もう》かるから、貿易赤字が解消するはず、とのもくろみである。アメリカ経済にコケられちゃ困るということで、各国も渋々これに合意した。これが世に言う『プラザ合意』。

それからわずか1年のうちに、アメリカの思惑通り、ドルの値打ちは242円から155円にまで急落。おかげで、それまで対米輸出で儲けていた日本のメーカーは大打撃。なにしろ、アメリカで売ってるものは、急に6掛けになっちゃったわけですからね。

そこで日本政府は、急激な円高で疲弊した日本経済を立て直すため、公定歩合を5・0%から2・5%にまで引き下げた。公定歩合ってのは、日銀が一般の銀行にお金を貸すときの金利。金利自由化後の今となってはあまり意味を持たなくなっちゃったけど、当時は、公定歩合を下げれば、一般銀行の金利も下がり、企業や個人がお金を借りやすくなり、市場が潤《うるお》う、とされていたのである。

この超低金利が2年3ケ月もつづいたため、日本の市場には金が溢《あふ》れ、余った金は、土地・株・美術品につぎ込まれ、それらの値段が暴騰《ぼうとう》。不動産屋は、小さな土地を一つにまとめてビルを建てれば値が数倍に跳ね上がったから、地上げに奔走したし、美術商は銀座7丁目の画廊で買った絵を8丁目の画廊まで持って行って売るだけで軽く数百万円は儲かったから、絵画を手当たり次第に買い漁ったし、銀行は不動産屋や美術商に金を貸せば黙っていても儲かったから、壊れた蛇口のように金を貸しまくっていた。

サラリーマンの日常業務は多忙を極め、残業が増えたものだから、収入が倍増。そんなサラリーマンが夜中まで盛り場で遊ぶものだから、街場ではタクシーが拾いにくくなり、タクシー会社は本作にも描かれている通り、重要顧客に『裏電』を配り、客は客で、銀座から六本木まで行くのに、通りを走るタクシーに向かって万札をふりかざしたりしていた。

演歌歌手がホテル王になり、クリスマスイブ前の銀座のティファニーに行列ができ、ゴッホのひまわりやニューヨークのロックフェラーセンターが日本のものになり……とにかく、日本中がハイテンションな凄《すご》い時代を迎えた。

これが、バブル景気である。

そんなバブル期に隆盛著しかったものの一つに、ディスコ文化がある。

本作にも詳しく描かれている通り、1984年、麻布十番に『マハラジャ』が誕生。翌85年には、エリア、シパンゴ、キング&クィーン等々、同趣向の出会い系ディスコが続々オープン。それまでの六本木の主流だったサーファー系ディスコが黒っぽいシックな内装をウリにしていたのに対し、『マハラジャ』以降の出会い系ディスコのウリは、内装の金ピカぶり。安土桃山時代の到来である。

当時のディスコのDJの主な仕事は、選曲よりも、店内の真鍮《しんちゅう》をピカールで磨くこと。そのかわり、選曲はどの店もだいたい同じで、レイ・パーカーJr.の次は必ずカーチス・ブロウ、みたいな定型が美学とされ、盛り上がりタイムには、みんなが知ってる曲が必ずかかり、誰もが同じステップで踊っていた。

大学では、シースポ（シーズンスポーツの略。夏はテニス冬はスキー、早い話がただのお遊び）系サークルが全盛を迎え、大学の垣根を越えて『リーグ』を結成、六本木を根城にして、出会い系ディスコを借り切って、頻繁にパーティーを開いていた。

そしてもう一つ、バブル期に隆盛著しかった若者文化が、リゾートだ。

アッコちゃんが「女神のように崇《あが》めていた」松任谷由実《まつとうやゆみ》が、日本のリゾート時代を予見したアルバム『サーフ&スノウ』をリリースしたのは1980年のこと。日本の大企業は、それから3年後の1983年に浦安に誕生した『東京ディズニーランド』が若いカップルを集めて大成功を収めるのを見て、若いカップルをターゲットとしたリゾート施設への投資に乗り出し、日本中に、新しいスキー場やゴルフ場やヨットハーバー、それに付帯したホテルが生まれ、国が高速道路を急速に整備したことも相まって、日本に空前のリゾート・ブームが訪れた。

バブル期の日本の年間スキー人口は、今日のほぼ3倍の1500万人。週末になると、原宿駅前から富ヶ谷の交差点までスキーバスが並び、若い男女をせっせとスキー場に送り込んでいた（そんな様子を見て、スキーの映画を作って当てた商売上手もおりましたね。あ、ボクか）。

大学生は、ディスコにスキーにホテルにフランス料理店にと、とにかく遊ぶのに金がかかったため、日夜アルバイトに励み、1980年には0・85時間だった大学生の一日当たりの平均アルバイト時間は、バブル絶頂の1990年には1・48時間にまで上昇。それに連れて、大学生のバイト年収も、平均203000円から386100円と、1・9倍に増加。この間、物価は1・2倍ほどにしか上がっていないから、明らかに日本の大学生はこの時期にリッチになったのである。とにかく学生たちは、よく働きよく遊んでいた。

が、80年代後半になると、国民の間から、「このままでは一生働いても自分の家が持てない」、との悲鳴があがり始める。それを受けて、NHKや朝日新聞が、無策な政府を批判するキャンペーンをたてつづけに張ったため、政府も国民の声を無視できなくなり、1990年3月、日銀は、金融機関が不動産屋に地上げ目的の資金を貸すことを制限する『不動産関連融資の総量規制』を発表。翌年には『地価税』も導入。さらに日銀は、よせばいいのに、1989年5月末から1990年8月までの1年3ケ月のうちに、公定歩合を5回にわたって2・5%から6・0%にまで引き上げる。

これって、わかりやすく言えば、高速道路をフルスピードで走っていた自動車が急ブレーキを踏んだようなもの。不動産会社は地上げした土地の転売ができなくなり、その会社に金を貸していた銀行は大量の不良債権を抱え——自動車で言えば、中に乗っていた乗客は、全員慣性で前に飛び出し、フロントグラスに頭をぶつけて頭《ず》蓋骨《がいこつ》骨折してしまった。これが、バブル崩壊である。

それからの10年間に日本人が負った痛手については、みなさんご記憶の通りである。痛手があまりにも深かったものだから、その後、バブル期は、あたかも中世の暗黒の時代のように悪《あ》し様《ざま》に語られていたが、実際のバブルは、世間で言われるほど嫌な時代ではなかった。

数字が如実《にょじつ》に物語っている。たとえば、日本の自殺者は、２０００年以降は年間３万人超だが、バブル絶頂の１９９０年は２１３４６人と、今の３分の２。01年から03年まで５％台を記録した失業率は、１９９０年の時点では半分以下の２・１％。企業の倒産件数は、ピークの２００１年には１９１６４社だったが、１９９０年は６４６８社と、３分の１。さらに、内閣府が毎年行っている『国民生活に関する世論調査』では、高度成長期の１９６０年以降で唯一《ゆいいつ》、１９９１年の１年間だけ、「悩みや不安を感じていない日本人」が国民の過半数を超えている。日本人は、みんなバブルを愉《たの》しんでいたのだ。

もしバブルという時代の問題点を一つ挙げるとすれば、それは、日本人が、文化について、何でもお金で解決できると思ってしまったこと、に尽きるだろう。

フランスにドン・ペリニヨンより安くておいしいシャンパンは実はたくさんあるが、当時の日本人は、シャンパン文化をとことん研究してシャンパンに対する正しい価値観を身につけようという気はさらさらなく、とりあえず大金を払ってドン・ペリニヨンを飲んでいれば間違いないだろう、と考えていた。つまり、文化に対して呆《あき》れた無知だったのである。

だが、一流品をキッカケにその世界についての造詣《ぞうけい》を深めていくというのは、一つのジャンルを極める上での真っ当なアプローチだ。もしもバブル景気がなければ、日本人は、これほど、ワインやシャンパン、オペラやミュージカル、アウトドアやガーデニング、葉巻や香水といった、海外の文化に親しむことはなかったに違いない。

ここ数年、経済バブルを迎えている中国が、ワインやシャンパンに関して、バブル期の日本と同じようなブームを迎えているそうだが、近代国家を一人の人格に例えれば、バブルってやつは、誰もが大人になるために通過する無謀な青春時代と言えるのかもしれない。

林真理子の『アッコちゃんの時代』は、そんな日本という国の、青春時代を描いた小説なのだと思う。

最後に、ご報告をひとつ。

アッコちゃんのモデルと言われるA子さんは、この小説が書かれた時点では、飯倉のイタリア料理店『キャンティ』の創始者の長男で、音楽プロデューサーでもあるK氏との、「いつまで続くかわからないけど、だらだらこのままでいようと思う」結婚を継続させていたが、週刊新潮の報道によると、２００７年春、晴れて離婚が成立したそうである。

これが、本作の本当の結末である。
いや、A子さんはまだ40歳。まだ物語はつづいている、と言うべきか。

（二〇〇七年十二月、作家・映画監督）

この作品は平成十七年八月新潮社より刊行された。